D0228807

# DE LOGEERKAMER

Helen Garner

# *De logeerkamer*

Vertaling Marijke Versluys

2008

DE BEZIGE BIJ

AMSTERDAM

Oorspronkelijke titel *The Spare Room*
Oorspronkelijke uitgever The Text Publishing Company,
Melbourne
Omslagontwerp en -illustratie Chong Weng Ho
Omslagbelettering Studio Jan de Boer
Foto auteur Nicholas Purcell
Vormgeving binnenwerk Peter Verwey, Heemstede
Druk Clausen & Bosse, Leck
ISBN 978 90 234 2892 3
NUR 302

www.debezigebij.nl

Het is een voorrecht om voor iemand
een slaapplaats te mogen inrichten.
– Elizabeth Jolley

OM TE BEGINNEN verschoof ik het bed in de logeerkamer zo dat het noord-zuid georiënteerd stond. Dan lag de slaper immers op één lijn met de positieve energiestroom van de aarde, of iets van die strekking? Echt iets voor haar om er zo over te denken. Ik maakte het bed zorgvuldig op met de lichtroze dekbedset, want ze stond bekend om haar kleurgevoel, en roze flatteert zelfs een gelig geworden huid.

Wat zou ze prettiger vinden: een plat of een dik kussen? Was ze allergisch voor dons, of was ze er als vegetariër zelfs tegen? Ik zou haar laten kiezen. Ik verzamelde alle losse hoofdkussens die ik in huis had, voorzag ze van een pasgestreken sloop en zette ze opgeschud en wel op een rij tegen het hoofdeinde.

Ik trok de houten jaloezieën op en schoof het raam zo ver mogelijk omhoog. De lucht die binnenzweefde rook naar bladeren, hoewel er geen blad te zien was, tot je de rolhor opende en je naar buiten boog. Ze had maanden gelogeerd bij haar nichtje Iris, op de zevende verdieping van een artdecoflatgebouw in Elizabeth Bay, Sydney, met ramen op het noorden die, zo stelde ik me voor, over een dicht bladerdak van vijgenbomen uitzicht boden op de blauwe vlakte van de haven.

Omdat ik er nog niet aan toe was gekomen een bloembak

in de vensterbank te voorzien van geraniums, keek mijn logeerkamer uit op de oude, grijsverweerde schutting tussen mijn tuin en die van mijn dochter Eva. Het schuifraam was weliswaar op het oosten, maar tot laat in de middag weerkaatste er licht tegen de houten zijgevel van Eva's huis. Bovendien was het eind oktober, en in Melbourne betekende dat voorjaar.

Ik maakte me zorgen om haar voeten. Op de kale houten vloer lag alleen een kelim vol slijtplekken. Ze had lange, smalle voeten. Stel dat ze erin bleef haken? Stel dat ze viel? Slippers vond ze meestal overbodig, evenals koffers, beha's, deodorant en een reisstrijkijzer. Ik rolde het gevaarlijke kleed op en mikte het in de schuur achter het huis. Daarna ging ik met de auto naar een winkel tegenover supermarkt Piedimonte, waar ze volgens mijn vriendin Peggy, die verstand heeft van dit soort dingen, kleden met traditionele motieven verkopen. Meteen ontdekte ik een mooi exemplaar: zachtgroene bloemen en zalmkleurige ranken op een lichtbeige ondergrond. Het kleed kwam uit Iran, vertelde de man, en het was met plantaardige kleurstoffen geverfd. Ik nam het omdat het verschoten was. Ze zou het vreselijk vinden als ik speciaal voor haar iets zou aanschaffen, als ik nodeloze drukte maakte.

Zou ze naar zichzelf willen kijken? Het was maanden geleden dat ik haar voor het laatst had gezien; het enige wat ik wist kwam uit onze mailtjes. Telkens wanneer ze met opgewekt gekwetter slecht nieuws leek te verbergen, bood ik aan om het vliegtuig naar Sydney te nemen. Maar ze hield me af. Ze had een etentje en kon de datum niet verzetten, of er was geen slaapplaats voor me, of ze wilde niet dat ik geld over de balk gooide. Als er geen spiegel in haar kamer hing, vatte ze dat misschien verkeerd op. Achter de boekenkast in mijn werkkamer vond ik er een die ik bij een Aziatische winkel aan Barkley Square had gekocht maar nooit had gebruikt: een hoog, smal stuk spiegelglas zonder lijst; aan de boven- en onderrand zat nog een reep dubbelzijdig plakband. Ik koos er een niet al te opvallend plekje voor, vlak bij de deur, en drukte hem stevig tegen het pleisterwerk.

Op het nachtkastje legde ik een waaier van akkoordenschema's neer zodat we weer eens wat op onze ukeleles konden proberen – 'Pretty Baby', 'Don't Fence Me In', King of the Road'. Ik zette de schaarlamp in een mooie hoek en gaf een kan met takken een plaatsje ernaast – onbestemd groen dat ik bij de schuur had ontdekt. Vervolgens liep ik via de gang naar mijn slaapkamer aan de voorkant, waar ik met mijn schoenen aan op bed ging liggen. Het was vier uur in de middag.

Tien minuten later werd ik wakker van een afgrijselijk tweetrapsgerinkel, zo akelig, zo allesoverheersend dat ik dacht dat iemand een steen door het zijraam had gegooid. In angst en beven rende ik de kamer uit en de gang door. Nergens bewoog iets. Het was stil in huis. Ik had het zeker gedroomd. Maar halverwege de keuken schitterde iets vreemds aan de rand van de oude gangloper. Ik stapte eroverheen de logeerkamer in. De spiegel was niet meer. De muur was kaal en het Iraanse kleed lag onder de glinsterende glasscherven.

Ik veegde met stoffer en blik, ik bewerkte het kleed met de rietbezem, ik stofzuigde met weloverwogen zigzaghalen.

De spiegelsplinters waren gemeen scherp en hardnekkig, en soms zo minuscuul dat het niet meer dan lichtfonkelingen waren. Ze verstopten zich in de rug van het kleed, in de pool. Ik ging op mijn knieën zitten en peuterde ze er met mijn nagels uit. Toen het donker werd en ik niet verder kon, belde mijn zus Connie.

'Is er een spiegel kapotgevallen? In haar kamer?'

Ik zweeg.

Toen zei ze zachtjes maar nadrukkelijk: 'Niets tegen Nicola zeggen!'

∞

'Komt ze dríé weken logeren?' vroeg mijn vriend Leo, de psychiater. Die zaterdagavond zat ik in South Yarra in zijn spartaanse keuken te kijken terwijl hij het eten klaarmaakte. Hij goot de pasta in een vergiet en hutselde hem om en om. 'Waarom zo lang?'

'Ze heeft zich hier ingeschreven voor een alternatieve kuur. Bij de een of andere kliniek in het centrum. Ze kreeg voorrang. Maandagochtend moet ze al aantreden.'

'Wat voor behandeling?'

'Daar wilde ik niet naar vragen. Ze heeft het over waterstofperoxide-infusen, vreselijk spul. In Sydney krijgt ze al enorme doses vitamine C toegediend. Tachtigduizend eenheden, zei ze. Intraveneus. Met glutathion of zo. Geen idee wat het is.'

Met het druipende vergiet in de hand bleef hij doodstil staan. Het was of hij zich maar met moeite wist in te houden: nu pas vielen me de aderen in zijn slapen op, onder het witte krulhaar. 'Het is allemaal kwakzalverij, Helen.'

We gingen aan tafel. Leo begon te eten en deed er als een echte zielenknijper het zwijgen toe. Zijn zwart-met-witte terriër ging naast zijn stoel zitten en keek met onvoorwaardelijke liefde naar hem op.

'Het is dus kwakzalverij?' zei ik. 'Dat zegt mijn intuïtie ook. Moet je horen. Toen uit de scan was gebleken dat ze een darmtumor had, vroeg ze de oncoloog om de behandeling nog een tijdje op te schorten. Omdat ze eerst grote hoeveelheden aloë vera wilde innemen. Hij zei: "Nicola. Als een tumor van aloë vera kon slinken, zouden alle oncologen op de hele wereld het voorschrijven." Maar ja, zij gelooft nu eenmaal in zulke dingen. Achter haar bank heeft ze zo'n magnetisch matje liggen. Ze zegt: "Ga er maar eens op liggen, Hel. Daar gaat je osteoporose van over."'

Leo kon er niet om lachen. Hij keek me met zijn driekantige bruine ogen aan en vroeg: 'En, heb je dat gedaan?'

'Ja hoor. Heel rustgevend. Ze heeft het ding ergens gehuurd.'

'De chemo heeft dus niet geholpen.'

'Ze heeft rondgelopen met een zakje van het spul in de rug van haar hand. Ze is geopereerd. Ze is bestraald. Ze hebben gezegd dat ze niets meer voor haar kunnen doen. Het zit in haar botten en in haar lever. Ze moest maar naar huis gaan, zeiden ze. Ze heeft vijf dagen meegedaan aan een spirituele workshop van Petrea King. Daar had ik goede dingen over gehoord, maar het sprak haar niet aan. Daarna is ze naar een alternatieve genezer gegaan. Hij zei dat ze haar kiezen moest laten trekken, omdat de kanker werd veroorzaakt door de zware metalen die uit haar vullingen lekken.'

Leo liet zijn hoofd op zijn handen rusten. Ik at door.

'Waarom komt ze bij jou?'

'Ze zegt dat ik haar het leven heb gered. Ze had bijna een heleboel geld overgemaakt aan een biochemicus ergens in Hunter Valley.'

'Een biochemicus?'

'Ze had van een fysiotherapeut gehoord dat die man veel succes had geboekt met zijn behandeling tegen kanker. En dus heeft ze hem opgebeld. Hij hoefde haar niet te onderzoeken. Eén blik op haar bloedbeeld was voldoende. Als zij vier mille aan hem overmaakte, dan zou hij haar precies de goede kruiden sturen tegen de tumoren. De kreet "essence van koolsap" is gevallen.'

Er ontsnapte me een hoog gegiechel. Leo keek me strak en uitdrukkingsloos aan.

'En hij zei ook nog dat ze zich geen zorgen moest maken als ze ongunstige dingen over hem hoorde, want hij had vijanden. Mensen die hem kapot wilden maken. Ik wilde tactvol blijven, dus ik vroeg: "Wat dacht je toen hij dat zei?" Ze antwoordde: "Ik heb het opgevat als een teken van integriteit."'

Mijn wangen gloeiden. Ik was me ervan bewust dat ik zat te ratelen.

'Ik was bang dat ze me ervan zou betichten dat ik haar laatste hoop de kop indrukte. Daarom heb ik achter haar rug om een journalist gebeld die ik ken. Hij heeft een en ander nagetrokken. Die zogenaamde biochemicus blijkt een bekende oplichter te zijn. Hij beweert de gekste dingen. Voordat hij zich met alternatieve geneeswijzen ging bezighouden heeft hij jaren in de gevangenis gezeten wegens een gewapende overval. Ik heb haar toen meteen gebeld. Ze wilde het geld nét overmaken.'

Ik had even tijd nodig om te bedaren. Leo wachtte af. Het was rustig in zijn kale keuken. Ik vroeg me af of hij er wel eens cliënten ontving. Op het terras aan de andere kant van de glazen schuifpui stond basilicum in een oude betonnen waskuip. De rest van het kleine tuintje werd in beslag genomen door zijn auto.

'Jij werkt ook wel met kankerpatiënten,' zei ik. 'Hoe ziet het eruit?'

Hij haalde zijn schouders op. 'Tamelijk hopeloos. Fase vier.'

'Hoeveel fasen zijn er?'

'Vier.'

Mijn bord was leeg. Ik legde mijn vork neer. 'Wat kan ik het beste doen?'

Hij legde zijn hand op de kop van de hond en trok de oren naar achteren, zodat het dier spleetogen kreeg. 'Misschien komt ze daarom logeren. Misschien wil ze dat jij het doet.'

'Wat?'

'Zeggen dat ze doodgaat.'

We luisterden naar een oude cd van Chick Corea, en we praatten over onze familie en over wat we hadden gelezen. Laat op de avond liep hij met me mee naar mijn auto. De hond sukkelde achter hem aan. Terwijl ik Punt Road uit reed zag ik dat ze bij de verkeerslichten de weg overstaken en het grote donkere park in verdwenen.

ത

Die nacht regende het stil en mild. Om zes uur werd ik wakker met een angstig voorgevoel, het soort spanning dat me ook bevangt wanneer de deadline voor een artikel nadert: de onontkoombare noodzaak iets nieuws uit mezelf te halen. Vandaag kwam Nicola. Ze wierp haar schaduw vooruit.

Niettemin zette ik een paar nieuwe geraniums in een bloembak, die ik tegenover haar kamer aan de zijschutting hing. De bloemknopjes, opgerold binnen de schutblaadjes, deden me denken aan puntig geslepen potloden. Mijn blik bleef rusten op het felle rood dat afstak tegen de lelijke omheining.

Tussen de middag was ik bezig een boterham klaar te maken, toen Bessie zich door de opening in de schutting wrong. Ze kwam een demonstratie geven van een nieuw haarspeldje dat haar pony op zijn plaats hield wanneer ze op en neer danste. Ze had een loopneus, die ik telkens met een stuk keukenrol afveegde. De tv stond aan.

'Is dat Saddam Hussein?' vroeg ze. 'Ze zeggen dat hij een slechterik is, oma, wat heeft ie dan gedaan?'

Ik legde haar uit wat een tiran was. We begonnen te filosoferen. Ze betoogde dat er veel heel erg arme mensen op de wereld waren. Vervolgens deed ze zich te goed aan het bakje yoghurt met nootjes dat ik haar had voorgezet en merkte op dat de ene dag anders was dan de andere.

'Soms is het een leuke dag,' zei ze, 'maar soms is het een nare dag. Ik weet niet hoe dat komt. Mag ik met je mee naar het vliegveld? Ik wil tegen Nicola zeggen dat ik vijf en een half ben. Dat gelooft ze vast niet.'

ꝏ

We parkeerden ruim op tijd. De zon scheen en het was zacht: we zeiden iets vrolijks over het voorjaar. Terwijl we hand in hand naar de aankomsthal van Virgin Blue beenden, kwam ons al een drom mensen tegemoet. Nicola's toestel was kennelijk vroeg geland. Ik zette het op een holletje, trok Bessie met me mee en speurde tussen de naderende reizigers naar een rijzige, stevig voortstappende vrouw met voortijdig wit haar. Ik herkende haar pas toen we haar al bijna tegen het lijf liepen. Ze liet zich meevoeren in het gedrang, wankelend als een oude vrouw, nietig naast een beduusde jongeman die haar tas van Indiase katoen over zijn schouder droeg. Bessie pakte mijn hand steviger beet.

'Hallo, lieverds!' zei Nicola. Ze deed een poging tot nonchalance, maar haar stem klonk schor, brak bijna. 'Dit is mijn nieuwe vriend Gavin. Hij heeft me geweldig geholpen!'

Gavin reikte mij de tas aan, mompelde gedag en snelde naar de uitgang. Ik pakte Nicola bij haar arm en loodste haar mee naar een rij harde stoelen. Ze liet zich op de eerste de beste neerploffen. Bessie drukte zich aan mijn andere kant nog dichter tegen me aan en staarde met een mengeling van nieuwsgierigheid en paniek voor me langs naar Nicola.

'Oké,' zei ik opgewekt. 'Even bijkomen.'

Nicola was niet eens in staat om rechtop te zitten. Haar rug was gekromd, er leek een zware last op haar nek te drukken. Ze was vel over been en trilde van top tot teen als iemand die op een winterdag te lang voorbij de branding heeft gesurft.

'Bessie,' zei ik, 'nu moet je even goed luisteren, liefje. Zie je die mevrouw daar, achter de balie? Iets verder dan de wc? Je moet tegen haar gaan zeggen dat we een rolstoel nodig hebben. Nu meteen. Je bent een grote meid, wil je dat voor me doen?'

Ze keek me strak aan. 'En als ze op een vliegveld nou geen rolstoelen hebben, wat dan?'

'Bess, je moet ons echt helpen.'

Nicola schonk haar een glimlach die vroeger mooi en hartelijk zou zijn geweest, maar nu meer weg had van een grimas.

'Maar ik wil niet alleen,' zei Bessie met een hoog stemmetje.

'Weet je wat? Blijf jij maar bij Nicola, dan ga ik wel even.'

'Oma...' Ze klampte zich met beide handjes aan me vast.

'We hebben dringend een rolstoel nodig. Je moet het aan die mevrouw gaan vragen. Anders weet ik niet hoe we thuis moeten komen.'

Ik duwde haar van me af. Met stramme, afgemeten pasjes liep ze over het tapijt de hal door. Ik zag dat ze op haar tenen moest gaan staan om boven de balie uit te komen. Ik zag dat de vrouw in uniform zich naar haar toe boog, met haar wijzende vinger meekeek en zich omdraaide om iemand iets toe te roepen.

We arriveerden in een huis dat nog steeds dacht dat het al voorjaar was: alle ramen open, de kamers doorstroomd met zachte, zwoele lucht. Nicola strompelde aan mijn arm de gang door, Bessie rende met haar tas voor ons uit. We brachten haar naar de logeerkamer, waar ze rillend op de rand van het bed ging zitten. Ik schoof het raam met een klap dicht en zette de oliekachel aan. Nee, dank je – ze hoefde niets te eten of te drinken, ze hoefde zich niet te wassen en ze hoefde ook niet naar de wc. Ze zweeg. Ze liet haar hoofd hangen, alsof er op haar schoot een boeiend minitoneelstukje werd opgevoerd. Ik ging gauw naar de keuken om water op te zetten voor een kruik. Bessie treuzelde bij de achterdeur.

'Ga maar naar huis, liefje. Ik kan nu niet met je spelen. Toe dan.'

Ze keek me boos aan en stapte door de moestuin naar het gat in de schutting, waar ze aarzelde en nijdig naar me omkeek – lang genoeg om me een blik te gunnen op haar paarlemoerachtige huid, haar vitaal glanzende pruillip.

In de logeerkamer druppelde en tikkelde de olie binnen in de kachel. Ik hurkte bij Nicola neer en trok haar zachte linnen schoenen uit. Haar blote voeten zagen vlekkerig en voelden ijskoud aan; op haar enkels tekende zich een kantpatroon van blauwe aderen af. Ik sjorde haar uit haar spijkerbroek. Ze droeg nooit een slipje, ook nu niet. Ik maakte haar tas open. De weinige kledingstukken die ze erin had gepropt – een wollen spencer, een verwassen roze nachthemd van katoenflanel, een ruimvallend hennep T-shirt – oogden groezelig en verwaarloosd, zaten vol gaten, net de bezittingen van een vluchteling. *Niemand zorgt voor haar. Ze heeft het opgegeven.*

'Kom,' zei ik. 'We zullen je dit nachthemd even aandoen.' Als een kind tilde ze beide armen op. Ik trok haar sleetse kasjmieren trui en vodderige hemdje uit. Dat deed ik soepeltjes, dacht ik, maar toen ik bij haar sleutelbeen de onderhuidse injectiepoort als een omgekeerde kroonkruk zag opbollen, haperde ik kennelijk even, want ze fluisterde schor: 'Sorry, Hel. Gruwelijk. Neem me niet kwalijk.'

Ik stak haar armen een voor een in de mouwen en bedekte haar met het versleten nachthemd; intussen maakte ik troostende, bemoedigende geluiden. Ik sloeg het dekbed over haar heen. Vergeefs zocht ze een houding die geen pijn deed.

Toen de warmwaterkruiken klaar waren haalde ik ook een tweede dekbed, het dikke exemplaar voor 's winters. Ik omwikkelde haar, ik bakerde haar in, ik ging lepeltje-lepeltje achter haar liggen en koesterde haar in mijn armen. Er trokken steeds rillingen door haar heen, als elektrische schokjes. Ze was niet warm te krijgen.

Geleidelijk aan echter deed de kachel zich gelden. Na een poosje ontspande ze zich en dommelde ze in. Het zweet brak me uit. Ik schoof behoedzaam van het bed, kantelde de jaloezieën op de donkere stand en liep op mijn tenen de kamer uit.

Hoe lang was ze er al zo slecht aan toe? Waarom had niemand me gewaarschuwd? Maar wie had dat moeten doen? Ze was een alleengaande vrouw, had kind noch kraai. Niemand droeg verantwoordelijkheid. Ik zette een pan groentesoep op een zacht pitje voor het geval ze wakker werd en trek had, en vervolgens zocht ik haar nichtje Iris op in het telefoonboek van Sydney en belde haar. Een rolstoel? O nee toch, dat was helemaal nieuw. Was de vlucht misschien erg vermoeiend geweest? O god. We moesten beslist contact houden – dit was haar e-mailadres. Zij kon samen met haar vriend Gab naar me toe komen, maar volgend weekend pas, want de school waar ze lesgaf was niet bereid haar nog meer vrije dagen te geven. Als het me allemaal te veel werd, kwamen ze haar ophalen.

Als het me te veel werd? Dat was mijn eer te na. Ten tijde van crisis was ik immers altijd een rots in de branding?

Bij de achterdeur ritselde iets. Een stralende Bessie glipte de keuken binnen, gekleed in een lange strokenrok en een sjaal met franje.

'Nee liefje. Sorry, nu even niet.'

Haar lach verflauwde. 'Maar ik wil je een nieuw dansje laten zien.'

'Nicola ligt te slapen. Het moet heel stil zijn in huis, want ze is erg ziek.'

Ze keek me zeer geïnteresseerd aan. 'Gaat Nicola dood?'

'Waarschijnlijk wel.'

'Vannacht?'

'Nee.'

Draaiend en drenzend ging ze aan de deurkruk hangen. 'Je moet met me spelen. Ik verveel me zo.'

'Niet dwingen, Bess. Je hebt best gehoord wat ik zei.'

'Als ik niet binnen mag komen, kan ik niet ophouden met zeuren.'

'Nu gauw naar huis. Kom morgenochtend maar terug, als ze wakker is.'

'Het is nog niet eens bedtijd!'

'Ze slaapt.'

'Als ik niet binnen mag komen, ga ik nog erger zeuren. Dan word ik woest en ga ik nog veel harder zeuren.'

Ik schoof mijn stoel naar achteren. De poten schraapten over de houten vloer, en ze ging er als een haas vandoor. Haar flamencohakken klikklakten over het klinkerpad en ze verdween langs de rucola.

Op de veranda bleef ik even staan. Verderop in de tuin, achter de bijna manshoge tuinbonen met de zwart-en-witte bloemetjes, lag een kleine flespompoen in de vensterbank van de schuur, beschenen door de fletse namiddagzon. Al maanden lag hij daar, vergeten door onze beide huishoudens. Als hij nog niet was uitgedroogd kon ik hem in de soep doen. Ik wachtte tot ik Bessie de achterdeur hoorde dichtslaan; daarna sloop ik naar de schuur en griste de pompoen uit de vensterbank. Hij was verdacht licht. Ik legde hem op de snijplank en zette de punt van het degelijke mes in de verbleekte gele schil. *Floep*. Het lemmet schoot erdoorheen en de pompoen viel in twee stukken uiteen. Het vruchtvlees was licht en vezelig, nauwelijks steviger dan stof. Ik hakte het in stukken en deponeerde die in de compostbak.

Uiteindelijk werd het nacht, een lange nacht. Ik werd vaak wakker. Een keer hoorde ik het zachtjes regenen. Ik deed de lamellen van de zonwering vaneen. Alleen in de bovenste flat aan de overkant brandde licht: mijn medebroeder, die slapeloze onbekende. Tegen vieren sloop ik de gang door om aan Nicola's dichte deur te luisteren. Haar ademhaling was langzaam en regelmatig, maar wel rasperig en erg luid.

Het geluid herinnerde me aan het gereutel in de keel van mijn zus Madeleine, tien minuten voordat ze overleed. 'Hoor,' had ik tegen haar zoon gezegd, die met rode ogen en met zijn ellebogen op zijn knieën aan haar bed zat. 'Ze reutelt. Het zal niet lang meer duren.'

'Welnee,' zei hij, 'dat is alleen maar wat slijm, ze is te zwak om het op te hoesten.'

In de keuken knipte ik het licht aan. Er lag een banaan op tafel. Iemand had hem gedeeltelijk gepeld en de helft opgegeten, maar toen geen trek meer gehad. Het zielige restant lag in de losse, gevlekte schil.

DE ACHTERKANT VAN mijn huis ligt op het zuiden, maar hoog in het puntdak zit een driehoekig raam, zodat er ook uit het noorden licht in de keuken valt. Toen Nicola haar entree maakte, stond ik in een plek zon. Ik keek op, klaar om op haar af te snellen. Haar haar was klam en lag plat tegen haar hoofd. Haar nachthemd, donker van het vocht, kleefde tegen haar lijf. Maar ze had haar schouders gerecht en haar kin geheven, en ze was een en al glimlach.

'Hallo lieverd!' kwinkeleerde ze op de haar eigen licht geaffecteerde toon. 'Wat een heerlijk weer! Ooo, daar ligt die banaan nog. Ik denk dat ik daar maar mee ontbijt. Hoe heb je geslapen?'

Mijn mond viel open. 'Hoe heb jíj geslapen?'

'O, toen ik eenmaal sliep ging het prima. Ik heb wel een beetje getranspireerd, maar ik zal de lakens straks even door de wasmachine halen.'

Ze slenterde naar binnen en installeerde zich op een kruk tegenover me aan tafel. God, wat was ze toch knap om te zien. Ze mocht dan een boerendochter zijn, maar ze had aristocratische trekken: fraai gevormde jukbeenderen, een rechte neus en een lange, beweeglijke bovenlip.

'Allemachtig, wat een vlucht,' zei ze. 'Achter me zat een gezin met vier kinderen, en die hebben tot Melbourne gekibbeld over wie er naast hun moeder mocht zitten.' Ze imiteerde hoge jengelstemmetjes: 'Nu wil ík naast jou zitten, mammie! Kijk nou eens naar míj, mammie! Ik hou niet meer van je, mammie! Ik vind je helemaal niet lief! Mam, je bent stóm!'

Ze sloeg haar roodwollen sjaal om haar schouders, hief haar kin en keek me sprankelend aan alsof we in het Gin Palace onder het genot van een martini een uurtje zaten bij te praten.

'Zo,' zei ze. 'Waar is de telefoon? Professor Theodore zei dat ik hem meteen moest bellen.'

'Wie is dat?'

'Hij is de grote baas,' antwoordde ze gewichtig. 'De hele behandeling berust op zijn theorieën. Maar hij moet vrijdag naar het buitenland, daarom heeft hij me een week eerder opgetrommeld. Hij wil vanmorgen per se een consult, voordat ik met de therapie begin.'

Ik reikte haar mijn draadloze telefoon aan, ging naar de badkamer en deed de deur dicht. Ik kon haar weliswaar niet woordelijk verstaan, maar de toon waarop ze sprak was duidelijk: welwillend autoritair, gecompenseerd door een vertrouwelijke klank, een opgewekte onderstroom. Ze zouden uit haar hand eten. Ik zette de douche aan.

Toen ik met een handdoek om me heen tevoorschijn kwam, zat ze nog steeds op de kruk, met de zwarte telefoon op schoot. Haar wangen, voor zover ze die nog had, waren ingevallen.

'Hij is al weg.'

'Hè?'

'Naar China. Hij is gisteren vertrokken, zeiden ze.'

Een heftige prikkeling stroomde door mijn armen, tintelend tot in mijn vingertoppen. Ik sloot mijn ogen. Toen ik ze opende, was haar glimlach er weer.

'Niks aan de hand. Ze zeiden dat ik toch maar moest komen. Ik kan bij een andere dokter terecht. Om vier uur.'

'Ik ga met je mee.'

'Welnee, lieverd. Ik ga met de trein. Als je maar even zegt hoe ik bij het station kom.'

'In jouw toestand? Dat red je niet.'

'Natuurlijk wel! Kijk maar!' Ze spreidde haar armen. De donkerrode sjaal viel in flatteuze plooien om haar heen.

'En gisteren dan? Ik wist me geen raad. Je kon de ene voet nauwelijks voor de andere krijgen.'

'Ach, Hel! Heb ik je aan het schrikken gemaakt?' Ze begon smakelijk te lachen. 'Over die rillingen hoef je je geen zorgen te maken. Dat is maar een bijwerking van die vitamine C, die verdrijft de gifstoffen.'

'Wil je daarmee zeggen dat je gisteren zo'n vitamine C-behandeling hebt gehad? Voordat je op reis ging?'

Ze knikte en glimlachte krampachtig, met gesloten lippen en haar wenkbrauwen hoog opgetrokken.

'Jezus, Nicola... Is de uitwerking altijd zo heftig?'

'Dat was nog niets. Je had me de eerste keer moeten zien. Ik had 's middags een afspraak in een kliniek in North Shore. Ze hebben een hele zak van het spul in me gepompt. Na afloop was ik nergens. Ik moest zelfs even gaan liggen. Maar het was vijf uur, en ze wilden de praktijk graag sluiten. Ze zeiden dat ik naar huis moest gaan. Ik ben naar de auto gelopen, maar ik kon echt niet rijden. Ik kon amper uit mijn ogen kijken. Ik was zo beroerd dat ik even op de achterbank ben gaan liggen. Als ik mijn ademhaling in bedwang had, zou het trillen wel ophouden, dacht ik. Maar het werd steeds erger. Uiteindelijk ben ik toch achter het stuur gekropen en naar huis gereden.'

'Van North Shore naar Elizabeth Bay? In het spitsuur? In je eentje?'

Ze haalde haar schouders op. 'Kon niet anders. Iris schrok wel toen ik binnen kwam strompelen.'

Ze pakte het restant van de banaan, nam een hapje en begon er weloverwogen op te kauwen, met haar snijtanden, voor in haar mond.

'Heb je last van je tandvlees?'

'Ik heb een paar kiezen laten trekken.'

'Laat eens zien.'

Ze slikte het stukje banaan door en sperde haar kaken open. Ik boog me steunend op mijn ellebogen over de tafel en keek. Ze deed zo haar best haar tong plat te houden dat hij ervan trilde. Achterin gaapte halverwege aan beide kanten een roze, week gat. Diep binnenin zag ik iets wits.

'Is dat pus? Is het ontstoken?'

Ze veegde haar lippen af aan een theedoek. 'Nee, lieverd,' antwoordde ze. 'Dat is gewoon bot. Het tandvlees is niet over het gat heen gegroeid. Ik kan alleen met mijn voortanden kauwen, net een konijn.' Ze moest erom lachen.

'Maar geneest dat nog wel? Hebben ze daar iets over gezegd?'

'Let maar eens op, meid. In de loop van de volgende week,

als het Theodore Instituut eenmaal met me bezig is, is die rotziekte op z'n retour. Dan slaat de kanker op de vlucht.'

Weer die opgewekte lach, de twinkeling, de wenkbrauwen die richting haargrens schoten. Ik kon het niet opbrengen haar aan te kijken. Ik wendde me af en keek door de glazen panelen van de achterdeur de tuin in. Er fladderde iets met ruches over het pad achter de tuinbonen. O nee toch. Flamencoschoentjes roffelden op de klinkers, klosten op de veranda. De achterdeur vloog open.

'Daar ben ik! Zijn jullie klaar voor de voorstelling?'

Nicola kon haar hoofd niet goed bewegen. Ze moest zich helemaal omdraaien. 'Wie is deze beeldschone señorita?'

Bessie leunde vanuit haar heupen achterover en zwaaide haar armen hoog boven haar hoofd naar elkaar toe. De bloedrode Oost-Indische kers die ze in het elastiekje van haar paardenstaart had gestoken wiegde; de sappige stengel hing al een beetje slap. Ze boog haar polsen en vlocht haar handen in elkaar. Haar nagels hadden rouwrandjes, haar handpalmen dikke eeltplekken van het klimrek op het schoolplein. Ze trok een uitdagende rimpel in haar voorhoofd en stapte ritmisch zwaaiend met haar wijde rok op ons af.

Nicola deinsde achteruit op haar kruk. 'Ho. Wat zit daar voor viezigheid op je lip?'

Bessie liet haar armen zakken en haalde de rug van haar hand onder haar neus door. Er bleef een glinsterend spoor op haar wang achter.

'O shit.' Nicola stapte van haar kruk en liep achterwaarts weg. 'Sorry, liefje, maar als je verkouden bent mag je hier niet komen. Ik heb helemaal geen weerstand meer. Helen, je zult haar naar huis moeten sturen.' Zo snel ze kon schuifelde ze de gang door naar de logeerkamer en deed de deur achter zich dicht.

Ik pakte een potlood en wilde al tekst en uitleg gaan geven over het immuunsysteem en verandering in de cellen, maar Bessie vroeg niets. Ze bleef met bungelende armen midden in de keuken staan. Haar gezicht was uitdrukkingsloos. Op de parkeerplaats aan de achterkant hoorde ik de buurman het portier van zijn auto dichtslaan en wegrijden. Net als anders begon zijn hond prompt te blaffen en te janken. Murw als we waren, overwogen we allang niet meer om over het akelige lawaai te klagen, maar misschien waaide de wind die ochtend uit een andere hoek, want het hoge gejank zweefde over de schutting regelrecht de tuin in en verjoeg de zonnige sfeer.

Nicola wilde graag dat ik die middag met haar meeliep naar het station om haar wegwijs te maken in het kaartjessysteem, zodat ze elke dag zelf naar de kliniek kon gaan. Het was echter haar eerste consult bij nieuwe behandelaars, en ik had wel eens gehoord dat je in zo'n situatie beter een vriendin kon meenemen, iemand die niet zo panisch was als jij en niet doof van angst, die verstond wat de dokter zei en het onthield. Dat hield ik voor me, maar ik wist haar toch zover te krijgen dat ze zich met de auto naar de stad liet brengen, voor deze ene keer, om haar de minst verwarrende, handigste weg te wijzen.

We parkeerden onder het Hyatt Hotel en wandelden Collins Street af. De platanen streken met hun prille blaadjes tegen de gevels van de ouderwetse gebouwen. Aan Max Mara en Zambesi, Ermenegildo Zegna en Bang & Olufsen hadden we geen boodschap. Nicola lette vooral op waar sappen- en koffiebars zaten. Parasols fladderden boven de tafeltjes op de terrassen. Grote touringcars van buiten de stad stonden stationair te brommen voor *The Lion King*. Ze genoot van de klingelende trams in Swanston Street. Vol trots zag ik hoe mooi mijn stad was, en dat die schoonheid haar niet ontging.

We liepen een koele, diepe sleuf in: Flinders Lane. Nicola liet het elastiek van haar dikke oude filofax floepen en zocht het nummer op. 'Hier moet het zijn.'

Het oude pand was hoog, hoekig en gewichtig; het deed denken aan de spaarpot in de vorm van een bankgebouw die we als kind hadden, maar de gevel op de begane grond was overgenomen door cafetaria's en goedkope winkeltjes met halfedelstenen; de witbetegelde hal oogde verwaarloosd, in de eens fraaie spiegels zat het weer. Wij wendden onze blik af van ons spiegelbeeld, want dat doen vrouwen van boven de zestig nu eenmaal, en liepen regelrecht naar het glazen paneel met bedrijfsnamen: negen verdiepingen met mensen die op bescheiden, eerzame wijze handel dreven in knopen, bruidskleding, hoeden. Het Theodore Instituut: bovenste verdieping. We keken door het traliewerk de enorme liftschacht met de zwaaiende kabels in. Nicola zette een zorgelijk gezicht. Terwijl de oude liftkooi ratelend omhoogging, voelde ik me onbehaaglijk dicht bij iets breekbaars in haar, iets dat ik met mijn sceptische houding zou kunnen beschadigen.

'We zijn net twee figuren in een kinderboek,' zei ik. 'In wat voor land zouden we daar boven terechtkomen?'

Ze schonk me een vluchtig, dankbaar lachje, keek toen weer naar het linoleum. Ik vermoord degene die jou pijn doet, dacht ik. Vierendelen zal ik hem. Ik zal zorgen dat hij er spijt van krijgt dat hij ooit is geboren. *Almachtige God*, dacht ik, *de kenner aller harten*. De lift kwam met een schok tot stilstand. Het was klokslag vier uur. De deur schoof open en we stapten uit.

Het was donker in de smalle gang. In alle deuren zat op ooghoogte een matglazen ruit. Door een openstaande deur zagen we in het voorbijgaan een meisje dat met gebogen hoofd onder een schaarlamp zat te naaien, terwijl op de radio naast haar Tom Waits zich hees uitleefde.

Helemaal aan het eind van de gang vonden we het Theodore Instituut. Er stond een lege rolstoel in de weg. De deur was op slot. We belden aan. Geen reactie, al meende ik vaag beweging waar te nemen. Ik gluurde door de koperen brievenbus. Opeens knorde er een zoemer naast ons, waarop de deur openzwaaide. Ik deed een stap opzij, en Nicola ging me voor.

De receptie was geschilderd in een vreemde tint geel, de kleur van beheerste paniek. Er stond een vaas met uitgedroogde narcissen op de balie, waarachter een medewerkster gestrest op een computer bezig was. Op een rij klapstoelen tegen de muur zaten enkele mensen. Een holwangige vrouw, met nog maar één been, had stilletjes haar handen gevouwen en haar ogen neergeslagen. Een andere reeg een kleurige sjaal met zilverglans door de lusjes van het zwarte mutsje dat ze op haar kale hoofd had. Terwijl Nicola zich bij de balie meldde, nam ik plaats.

De vrouw met het mutsje keek me vriendelijk aan. 'Ik ben Marj. Dit is mijn man, Vin. We komen helemaal uit Broken Hill.' Ze gaven me allebei een hand. Vin was een forse, trage kerel in een korte broek en hoog opgetrokken witte sokken. Marj begon weer aan de sjaal te trekken en te duwen.

'Leuke muts,' zei ik. 'Chic.'

'Ach ja,' zei ze overmoedig vrolijk, 'het oog wil nog steeds wat, ook als je weet dat je gaat.'

Daar moesten we allemaal om lachen, behalve de vrouw die maar één been had; haar ogen bleven gericht op wat er van haar schoot over was. Intussen hoorde ik de medewerkster, die zich had voorgesteld als Colette – een alledaags meisje met bruin haar in een hoge paardenstaart – aan de balie kwebbelen tegen Nicola.

'Ik begrijp wel dat het een tegenvaller voor u is, maar professor Theodore moest plotseling naar China! En hij komt pas volgende week terug. Maar geen nood, hoor, want we hebben nog een dokter. Meestal komt die alleen op vrijdag een presentatie houden, maar deze week is hij er al op maandag. En u kunt bij hem terecht!'

Ik zag Nicola telkens knikken, terwijl ze zich met trillende armen aan de balie staande hield.

'Wat is professor Theodore eigenlijk in China gaan doen?' vroeg ik vanaf mijn klapstoel. 'Hij heeft namelijk uitdrukkelijk te kennen gegeven dat hij mijn vriendin wilde onderzoeken voordat ze aan de behandeling begint. Had hij haar niet op de hoogte kunnen brengen van zijn nieuwe plannen?'

Ik deed mijn best het beleefd en gedecideerd te zeggen, maar de sfeer in het vertrek verkilde en er viel een pijnlijke stilte.

Colettes stem daalde een octaaf. 'O,' zei ze zachtjes, 'het is een heel belangrijk internationaal congres.' Haar gezicht straalde ernstig ontzag uit. Ze spreidde haar handen en trok haar schouders en wenkbrauwen op: de verplichtingen van deze halfgod, haar werkgever, gingen haar bevattingsvermogen te boven. Niemand keek naar mij. Nicola, met haar creditcard in de hand, hield haar rug naar me toe gekeerd. Ik voelde me heel klein, mijn hart bonkte.

Tegen de tijd dat Nicola een uitgebreid formulier had ingevuld en tweeduizend dollar had neergeteld voor het programma van de eerste week, was het al over vijven. 'U bent over een halfuur aan de beurt!' juichte Colette. We installeerden ons. In de vertrekken achter de receptie bespeurden we activiteit, hoorden we stemmen. Een gezette man met gemillimeterd haar stak een paar keer zijn hoofd om de deur om de gelaten wachtende mensen een welwillende glimlach te schenken. Was het verbeelding, of rook het aangenaam in de kliniek? Een ondefinieerbaar luchtje uit de natuur, of misschien zelfs uit onze jeugd? Een vleugje zomer? We konden het niet thuisbrengen.

Nicola vouwde haar lange benen in yogahouding onder zich op de stoel; ze was zo verstandig geweest iets te lezen mee te nemen en sloeg een roman van Alexander McCall-Smith open. Ik bladerde zwijgend in beduimelde oude nummers van

*New Weekly*, speurend naar mislukte cosmetische operaties om over te schamperen. Vroeger zouden we ons samen slap hebben gelachen om die overdreven gebotoxte pruillippen. Nu ik boos en angstig was, hield ik ze voor mezelf.

In een hoekje stond een waterfilter met een toren plastic bekertjes ernaast, maar er was niets te eten. Het was niet bij ons opgekomen iets eetbaars mee te nemen. Marj en Vin deelden een boterham uit aluminiumfolie. Om zes uur ging ik met de lift naar beneden. In de laagstaande zon stroomden de mensen die van hun werk kwamen nog door Swanston Street in de richting van het station. In een broodjeswinkel kocht ik twee flesjes vruchtensap.

Toen ik weer binnenholde bleek de inschikkelijk geduldige stemming nog onveranderd. Ik duwde Nicola een flesje in de hand, dat ze gulzig leegdronk.

Om halfzeven ging Marj uit Broken Hill verzitten; ze boog zich voorover en begon te kuchen. Een krampachtige, droge hoest verscheurde haar, telkens gevolgd door een schurende zucht. Wat het gezwoeg opleverde spuugde ze onopvallend in een papieren zakdoekje, dat ze in een plastic tasje stopte. Niemand zei iets. We zaten inmiddels bijna drie uur te wachten.

Even voor zevenen kwam Colette een van de achterkamers uit stuiven met een vrolijke mededeling. 'Hallo allemaal! Om zeven uur begint er een presentatie. En Nicola, daarna heeft dokter Tuckey tijd voor een consult.'

Eindelijk kwam Tuckey de receptie binnen kuieren. We keken vermoeid naar hem op. Zijn gezicht, dat boven zijn omvangrijke gestalte leek te zweven, had vreemd genoeg iets ontwapenends.

'De helft van de medewerkers is er deze week niet,' mompelde hij. 'Daardoor is het hier een beetje rommelig.'

Ik stak mijn hand op. 'Kunt u ook zeggen wat de afwezigheid van professor Theodore betekent voor de afspraken van de komende week?'

De andere patiënten draaiden mat hun hoofd naar me toe, om het oogcontact meteen weer te verbreken.

De dokter keek mij recht aan, maar maakte een bijna timide indruk. 'Voor de, eh, kwaliteit van de behandeling, bedoelt u?' vroeg hij.

'Nee,' antwoordde ik. 'Ik bedoel, worden de afspraken beter georganiseerd dan vandaag? We moeten namelijk eerst weten hoe de dagindeling is, dan kan ik mijn vriendin hier 's morgens afzetten en 's middags weer ophalen. Zodat we ook nog redelijk wat tijd voor onszelf hebben.'

Vin uit Broken Hill schonk me een snelle blik, die ik opvatte als een kleine blijk van solidariteit. Ook hij geloofde niet in deze poppenkast. Hij moest de schijn ophouden omdat zijn vrouw de wanhoop nabij was, omdat hij van haar hield. Tuckey prevelde iets geruststellends, wat in de verste verte niet op een verontschuldiging leek. Weer bonkte mijn hart. Mijn wangen werden rood. Nicola keek me even vriendelijk aan, maar wendde haar blik weer af. Ik begon te vrezen dat ik haar in verlegenheid had gebracht. Ik hield mijn mond.

De dokter zette een scherm tegen de muur, opende zijn laptop op de balie en ging er op zijn elleboog geleund naast staan. Ongevraagd schoven we onze stoelen zo dat we het beter konden zien. Er klonk een zucht. Tuckey drukte een toets in, waarop de titel van zijn praatje verscheen: 'Kanker en de diverse terapieën'. Ik durfde niet naar Nicola te kijken; niet omdat ze dan in de lach zou schieten, maar juist omdat ik bang was dat ze er niet om kon lachen.

'Ik ga u iets vertellen,' begon dokter Tuckey, 'over onze belangrijkste kankervernietigende therapieën. U weet toch dat een octopus met zijn tentakels een rotsblok kapot kan krijgen? Welnu, dat geldt ook voor een kankercel.'

Vergeleek hij zo'n cel nu met de octopus of met het rotsblok? De dokter werkte zijn punten bescheiden en beminnelijk af, geruststellend bijna. Alles aan hem was week, weerloos; je kon bijna geen hekel aan hem hebben. Zijn uiteenzetting had evenwel een bedwelmende uitwerking. Mijn gedachten schoten alle kanten op, zochten houvast. Ik was moe, ik had trek. Mijn concentratie golfde op en neer. Zo nu en dan knikkebolde ik. Dit was niet het moment om van de wereld te raken. Ik schoof mijn stoel een eindje naar achteren en pakte steels pen en notitieblok uit mijn tas.

'Stress,' zei hij, 'is in onze maatschappij de voornaamste oorzaak van kanker. Stress maakt ons kwetsbaar voor de narigheden die in ons schuilen.'

Zo vergezocht was dat niet. Mijn gedachten dwaalden af naar mijn zus Madeleine, naar haar niet-aflatende verdriet en woede toen haar man bij het zwemmen in zee was verdronken; meedogenloos had ze ons met haar grote verlies gemanipuleerd. Tien jaar later werd er een onbehandelbare tumor in haar long ontdekt. Ze aanvaardde haar doodvonnis gelaten, zonder opstandigheid; misschien, dachten we respectvol, was ze er zelfs wel blij om. Ze gaf het op. Ze liet zich door ons koesteren. Wij verzorgden haar. Nog geen jaar later legde ze haar breiwerk neer en stierf, in het bijzijn van haar familie, in haar eigen huis, in het bed dat ze met haar man had gedeeld, terwijl buiten de fraaie takken van de bomen die ze samen hadden geplant kaal afstaken tegen de nawinterlucht.

'Als iemand door de bliksem wordt getroffen en dat overleeft,' hoorde ik de dokter zeggen, 'dan slinken en verdwijnen zijn tumoren.'

Ik keek naar de anderen. Geen van hen scheen dit vreemd in de oren te klinken.

'Een breuk in de aardkorst onder je huis kan het elektromagnetische veld verstoren. In Duitsland woont een vrij hoog percentage kankerpatiënten boven zo'n scheur.'

Een scheur? Daar had ik in de jaren zeventig toch wel eens iets over gelezen? Over mensen die hun hele huiskamervloer in een oude mijnschacht zagen storten? Hun piano in de diepte zagen glijden en voorgoed verdwijnen? En hadden ze ook nog eens kanker gekregen?

Nicola hield haar hoofd scheef, alsof ze aandachtig zat te luisteren.

'Het is bekend dat bepaalde soorten kanker rond de evenaar veel minder vaak voorkomen. Die kennis berust op een gedegen, betrouwbaar onderzoek, dat enkele maanden geleden is gepubliceerd.'

Nu was ik weer klaarwakker.

'Hoge doses vitamine C doden groepjes kankercellen en versterken het immuunsysteem. Verder is onze behandeling in de ozonsauna gebaseerd op de oude natuurtherapiebenadering van kanker: de gifstoffen worden uitgezweet. De meeste artsen zijn niet op de hoogte van dergelijke dingen, al zijn die wel degelijk wetenschappelijk onderbouwd.'

Nicola steunde met haar kin op haar hand, op haar gezicht lag een intens welwillende uitdrukking; ze zocht telkens oogcontact met de dokter en knikte voortdurend instemmend.

Vin uit Broken Hill legde zijn hand op de benen van zijn vrouw, die ze over zijn schoot had gelegd. Zijn tedere gebaar maakte een pijnlijk besef in me wakker. Waar waren mijn argwaan en minachting eigenlijk op gebaseerd? Wat wist ik eigenlijk van kanker? Misschien zat er toch een kern van waarheid in die onzinnige theorieën. Misschien waren ze hun tijd vooruit. Misschien had Leo ongelijk als hij beweerde dat tumoren niet slonken van vitamine C. Misschien was het heel onrechtvaardig dat deze pioniers in een slecht blaadje stonden bij de overheidsinstanties en dat ze hun patiënten in armoedige privéklinieken moesten behandelen.

Onwillekeurig moest ik telkens steels kijken naar dokter Tuckeys kwabbige buik die over zijn broekband puilde. Zijn overhemdknoopjes verdeelden de zware last ook nog eens verticaal in tweeën. Het gewicht, dat los leek te hangen van zijn skelet, zwaaide een halve tel achter zijn bewegingen aan: een lillende, vormeloze vracht vlees.

Die eerste avond werd Nicola om kwart over acht – vier uur na het tijdstip van haar afspraak – bij dokter Tuckey geroepen.

'Kom op, Hel.' Ze stopte het boek in haar schoudertas en

liep naar de spreekkamer. Ik talmde bij de deur, maar Nicola aarzelde geen moment. Ze stormde naar binnen en nam plaats op de eerste de beste stoel. Ik haastte me achter haar aan.

Een tl-buis wierp een kil licht op een wanordelijk tafereel, alsof iemand net was gearriveerd of op het punt stond ervandoor te gaan. De vloer werd in beslag genomen door kartonnen dozen, sommige in wankele stapels van ruim een meter hoog, andere opengebarsten zodat er bruine mappen uit hingen. Voor het raam hing alleen een defecte zonwering gammel aan een koord.

De dokter begroette ons met een hartelijk knikje vanachter een bureaublad dat vol lag met snoeren. Hij schoof een grote tv-monitor opzij en maakte een klein plaatsje vrij voor Nicola's dossier, dat hij met penguinachtige flapbewegingen open- en dichtsloeg. Ze stak van wal met een helder verhaal over haar ziekte, de ontdekking van de darmtumor, haar vermoedens over de oorzaak, de geschiedenis van de uitzaaiingen en het scala aan behandelingen dat ze inmiddels had ondergaan. Dokter Tuckey luisterde vol medeleven en met soepele, troostende gebaren, als een oude dame achter haar theeblad; hij trok rimpels in zijn voorhoofd, klakte met zijn tong, schudde zijn hoofd, fronste zijn wenkbrauwen en tuitte zijn lippen. Toen Nicola eindelijk uitgesproken was, nam hij het woord.

'Zo te horen,' zei hij, 'bent u de ideale kandidaat voor onze behandelmethode.'

Ze rechtte haar rug en leunde glimlachend achterover.

'Ja,' zei hij. 'Ik heb zo'n idee dat u er heel goed op zult reageren.'

ထ

Die nacht plaste Nicola in haar bed. Om twee uur kwam ik haar tegen in de gang toen ze net met een armvol lakens uit de logeerkamer kwam. 'Ik heb gedroomd,' zei ze, 'en toen ik wakker werd, liet ik mijn plas zomaar lopen. Ik heb de rest op de wc kunnen lozen, maar ik heb er wel een vieze boel van gemaakt.'

Ze geneerde zich, wat ik eigenlijk niet van haar kende. Wij hechtten immers niet aan conventies; de schaamte om basale lichaamsfuncties waren we allang voorbij.

'Geef maar hier,' zei ik. 'Voordat je kwam heb ik het bedlinnen aangevuld.'

'Bedlinnen? Wat een ouderwets woord, dat heb je zeker uit de vrouwenbladen.'

We schoten in de lach. Terwijl ik haar bed verschoonde, zat zij op de stoel. Toen ik haar blote voeten op het kleedje zag, moest ik aan mijn moeder denken, die de rommel voor me had opgeruimd wanneer ik als kind 'last van mijn gal' had gehad, zoals zij het noemde. Ik herinnerde me haar geduld midden in de nacht, die kostbare ogenblikken dat al haar aandacht voor mij was, in het huis vol slapende kinderen die me van mijn plaatsje in haar genegenheid hadden verdrongen. Dromerig dankbaar keek ik dan toe hoe ze het schone laken over mijn bed uitspreidde, het gladtrok en bij de hoeken instopte, opdat ik – tijdelijk een walgelijke viezerik – weer lekker kon liggen. Zonder enige afkeer pakte ze mijn vuile lakens en nam ze ze mee.

OP DINSDAGOCHTEND GINGEN we met de trein naar de stad. Nadat ik Nicola had gewezen hoe ze het onoverzichtelijke station Flinders Street kon vermijden door bij Parliament uit te stappen, liepen we samen naar het Theodore Instituut. Omdat ik enige terughoudendheid meende te bespeuren in Colettes begroeting, ging ik beneden een kop koffie halen, zodat Nicola zich kon voorbereiden op haar eerste behandeling.

Toen ik twintig minuten later terugkwam, was de wachtkamer leeg. Er bleek geen enkele medewerker aanwezig. Ik bekeek de ingelijste diploma's aan de muur achter de receptiebalie. Aha, daar had je de getuigschriften van Tuckey: een heleboel lange, ingewikkelde kreten uit het alternatieve circuit, veel tierelantijnen en een sliert medisch aandoende titelafkortingen. Allemaal leuk en aardig, maar waar zat hij, verdorie? Wie runde deze praktijk? Achter een scheidingswandje hoorde ik Colette iemand op vrolijke toon doorzagen over haar passie: kunstrijden op de schaats. Op de balie stond een bel. Ik drukte erop. Ze stak haar hoofd om de hoek en wees me een zijdeur.

In een krappe ruimte met een raam dat, als je op je tenen ging staan, uitzicht bood op de zijkant van de kathedraal, trof ik Nicola aan, tot haar kin omsloten door een soort lage tent; haar breed lachende gezicht stak door een gat dat om haar hals was afgedicht met een reep plastic en een roze handdoek. Ook hier hing weer dat vreemde natuurluchtje waar we het de vorige dag over hadden gehad.

'Wat krijgen we nou? Je lijkt zo weggelopen uit een spotprent van een vrouw in een afvalkliniek.' Weer schoten we in de lach.

'Dit is de ozonsauna. Je mag wel even binnenkijken.'

Ik ritste de tent aan de voorkant open en zag dat ze op een witte plastic stoel zat, op een handdoek na naakt, met in elke hand een in keukenpapier gewikkeld stafje. De geparfumeerde damp wolkte eruit. Ik deed de rits weer dicht. Ze knikte naar een groezelig A4'tje dat aan de muur geprikt was. Ik ging kijken. Het was een lijst met reanimatie-instructies. We keken elkaar uitdrukkingsloos aan.

'Wat heb je daar in je handen?'

'Elektrodes.' Ze leunde met gesloten ogen achterover.

Elektrodes. Ik deed er het zwijgen toe. De ochtendzon scheen door het hoge raam het kamertje binnen. De ozon rook verrukkelijk, heel subtiel en verkwikkend, als watermeloen of een zeebriesje. Ik ging in een hoekje op een stoel zitten en wipte het deksel van mijn beker koffie.

Een uur later kwam Colette bedrijvig binnen om Nicola mee te tronen naar een ander vertrek. Daar moest ze gaan liggen op een hoog, hard bed dat met gebloemde stof was overtrokken, waarna de jonge vrouw Chinese cups op haar schouders, hals en buik zette. Net als veel van mijn kennissen had ik ook wel eens vacuümtherapie ondergaan, en ik had er geen uitgesproken mening over; deze cups waren echter voorzien van nippels met buisjes erin, waar nog meer ozon doorheen zou worden gepompt uit een grote, roestig ogende cilinder die met een ijzeren ketting aan de muur was bevestigd.

Omdat het me een intieme aangelegenheid leek bood ik een paar keer aan om weg te gaan, maar Nicola en Colette drongen er beiden op aan dat ik bleef. Ik sloeg mijn armen over elkaar en maakte me in een hoekje zo klein mogelijk. Het vertrek lag op het oosten en keek uit op een aantrekkelijke verzameling torenspitsen en koepels, met op de achtergrond een hemel vol wollige voorjaarswolken.

'Wat doet ozon eigenlijk, Colette?' vroeg Nicola op vriendelijke toon.

Colette was klaar met de cups en stond met haar rug naar Nicola toe in een dossier te bladeren. Zonder zich om te draaien antwoordde ze verstrooid: 'Het doodt kankercellen.'

'Aha.'

'En vitamine C,' vervolgde Colette terwijl ze het dossier neerlegde, zich omdraaide en met beide handen heftige graaibewegingen maakte, 'schept de kankercellen als het ware uit je lichaam.'

Nicola bleef glimlachen en liet haar ogen weer dichtvallen. Vrolijk wuivend en vlot zwaaiend met haar paardenstaart liep Colette de kamer uit. Ik begaf me zo onopvallend mogelijk naar de tafel onder het raam, waarop ze Nicola's dossier had laten liggen. Quasi achteloos pakte ik de stukken uit de bruine map. Al bladerend sprong het kopje PROGNOSE in het oog. Eronder stond in onvolwassen hanenpoten: 'Terminaal, 1-3 jaar.'

Ik legde het vel papier gauw terug en boog me naar het raam. Aan de westflank van de kathedraal zaten gebeeldhouwde waterspuwers en een stel heiligen met staf en stenen stralenkrans. Ik stond te trillen op mijn benen en haalde een paar keer diep adem. Hoe zat dit? Had dokter Tuckey gisteravond niet tegen Nicola gezegd dat ze 'heel goed zou reageren' op de behandeling in de kliniek? Hij had natuurlijk moeten zeggen: 'Wilt u weten wat volgens mij uw vooruitzichten zijn?' En als ze ja had gezegd, zou het dan niet fatsoenlijker zijn geweest haar de waarheid te vertellen, gevolgd door: 'Maar we kunnen u bepaalde behandelingen aanbieden waarvan de tumoren wellicht slinken, waardoor de groei wellicht vertraagt, zodat u in de tijd die u nog rest een zo aangenaam mogelijk leven kunt leiden'?

Misschien had hij dat niet kunnen doen omdat ik erbij was geweest. Misschien was hij binnen deze organisatie niet bevoegd om over de dood te spreken. Misschien was alleen professor Theodore, de goeroe, daartoe gerechtigd.

Achter me lag Nicola nog steeds met gesloten ogen op haar hoge bed. Ik borg de papieren weer in de map en legde de map netjes recht.

'Helen,' zei Nicola. 'Zou jouw zus, Madeleine, ook naar zo'n kliniek als deze zijn gegaan?'

'Voor geen goud.'

'Ook niet als ze van het bestaan had geweten?'

'Vergeet het maar. Ze zou het geen moment hebben overwogen.'

'Waarom niet?'

*Omdat ze meteen zou hebben gezien dat het verlakkerij was.* Maar dat kon ik niet zeggen. Ik beschikte niet over genoeg kennis om een oordeel te vellen. En als ik dit soort klinieken verketterde, waar moest Nicola dan haar heil zoeken? Welke mogelijkheden waren er nog? Moest ze de strijd maar opgeven en de dood onder ogen zien? Het was toch niet aan mij om dat tegen haar te zeggen?

'Madeleine was verpleegkundige geweest. Haar man was chirurg,' antwoordde ik dus maar. 'Ze heeft haar hele leven in de wereld van de reguliere geneeskunde gezeten. Daar geloofde ze in. Het kader en de taal van die wereld waren de hare.'

Ze bleef een poosje stil liggen, met de bolle cups als een rij borsten op haar buik. Toen opende ze haar ogen en staarde naar het raam.

'Ik verwacht elk moment dat er een engel uit die wolken neerdaalt,' zei ze. Nog nooit had ik haar zo onbeschaamd en uitdagend zien lachen.

Na de lunch, die we in een cafetaria tot ons hadden genomen in de vorm van grote glazen groentesap, kreeg ik van Colette de niet bepaald stille wenk dat ik maar beter weg kon gaan. Kennelijk gingen ze Nicola nu met een of ander soort licht bestralen. Ik verzamelde mijn spullen en vertrok.

Bij een goede supermarkt kocht ik een paar platvisfilets voor het avondeten, waarna ik door de stad dwaalde en ik erg trots was op mezelf omdat ik geen geld uitgaf. Toen ik Nicola aan het eind van de middag ophaalde, was ze opgewekt.

Thuisgekomen haalde ik in de achtertuin de droge lakens van de waslijn, waarbij ze me per se wilde helpen. Ik zag wel dat het haar moeite kostte haar armen tot schouderhoogte op te tillen, maar samen vouwden we het beddengoed keurig op en legden het in de kast. Daarna maakte ik op haar aanwijzingen het soort vissoep met groente dat een semivegetariër mag hebben. Ze at met smaak en dronk zelfs een glaasje droge sherry. We keken naar het nieuws en analyseerden vrolijk maar vals de recente escapades van haar oude vriend, mijn ex.

'Morgen,' zei ze toen ik haar bij het naar bed gaan de in een theedoek gewikkelde kruik aanreikte, 'krijg ik weer vitamine C.'

Ik keek op. 'Zal ik met je meegaan?'

Ze haalde haar schouders op. 'Neem vooral een boek mee.'

Even na middernacht hoorde ik haar rondscharrelen en ik ging even bij haar kijken. Haar schouder en nek deden pijn. Ook was ze weer nat, maar niet van de urine. Het was zweet: het beddengoed was bijna tot op de matras doorweekt, en hetzelfde gold voor het kussen. Die nacht moest ik drie keer in actie komen: afhalen en verschonen, afhalen en verschonen. Zulke dingen deed ik graag: simpele, praktische zorgtaken waar ik geen moeite mee had. We spaarden ons de moeite en lieten het ritueel van verontschuldiging en vergeving achterwege. Ze zat slapjes op de stoel toe te kijken terwijl ik bezig was.

'Ik had verpleegster moeten worden,' zei ik. 'Net als mijn zussen.'

Ze lachte flauwtjes. 'Hoofdzuster. Met een ritselend kapje.'

'Of rechercheur misschien. Waarom ben ik in de jaren zeventig niet bij de politie gegaan, in plaats van voor hippie te spelen, verdorie? Dat lag me eigenlijk niet zo.'

'Je kunt heel streng zijn. Maar ze zouden geen spaan van je heel hebben gelaten.'

'Wat voor pijnstillers neem je eigenlijk, Nicola?'

'Een gewoon analgeticum, paracetamol.'

'Is dat alles?'

'Ik mag er acht per dag. Ik zal er nu een paar nemen.'

Ik ging een glas water halen en bleef bij haar bed staan terwijl zij de pillen naar binnen klokte.

'Wat betekent analgeticum eigenlijk?' vroeg ik.

'Het zal wel uit het Grieks komen.'

'Vast. Rectogesic is een middel tegen aambeien. Een analgeticum...'

'Een *anal*-geticum,' zei ze, 'helpt zeker tegen een pijnlijke kont.'

'Haha! En paraceta*mol* voorkomt' – de woordspeling kwam als een vrachtwagen aangedenderd, geen tijd meer om opzij te springen – 'dat je wordt ge*mol*d.'

Ze schoot in de lach, sloot haar ogen en legde haar hoofd op het schone kussen.

Vlak voor het licht werd – ik had de slaap niet meer kunnen vatten – ontlaadde een onverwacht buitje zich van een paar handjes regendruppels en trok pijlsnel verder. Op straat was het rustig. Het was fris en koel. Heel zachtjes trippelde er iets over de halfvergane bladeren bij mijn open raam, en het bleef stilstaan, hoorbaar ademend, om toilet te maken.

AAN HET ONTBIJT was duidelijk dat Nicola pijn had. Haar schouders waren gebogen. Ze liep moeilijk.

'Moeten we niet een sterkere pijnstiller voor je halen?' vroeg ik.

'Welnee,' zei ze. 'Die pijn komt van de behandeling, daar merk ik aan dat het werkt. Het zijn gewoon de gifstoffen die eruit komen.'

Ze kauwde lang op een klein stukje toast met honing en dronk een kopje thee.

Ik bracht haar met de auto naar de stad.

Ditmaal had er een stugge, ons onbekende man dienst in de behandelruimte; hij was van middelbare leeftijd en had een Oost-Europees accent. Zijn witte jas en bijna overdreven bewegingen verleenden hem de autoriteit waaraan het de ontwapenende maar warhoofdige Colette ontbrak. Hij nam niet de moeite zich voor te stellen, maar zei tegen Nicola dat ze op het hoge bed moest gaan liggen, waarna hij een zakje heldere vloeistof aan een hoge metalen standaard hing en een slangetje in de injectiepoort op haar borst wilde aanbrengen. Nicola stak haar hand op.

'De vorige verpleegkundige die me dit toediende,' zei ze met een van spanning hogere en bekaktere stem dan normaal, 'heeft het infuus te snel afgesteld. Het deed pijn en ik ben er ontzettend beroerd en slap van geworden. Wilt u er alstublieft voor zorgen dat het niet te snel loopt?'

De man in de witte jas onderbrak de bediening van de apparatuur even. 'Ik ben geen verpleegkundige,' zei hij. 'Ik ben de specialist.'

Ik stond op en deed een stap naar voren. 'Een ogenblikje,' zei ik, en ik schraapte mijn keel. 'Neem me niet kwalijk, dokter, maar mijn vriendin reageert heel heftig op die vitamine C. Weet u zeker dat die behandeling geschikt voor haar is?'

De man keek me niet aan. Met het slangetje in zijn hand bleef hij roerloos staan. 'Hier staat,' zei hij, 'dat uw vriendin vandaag vitamine C toegediend moet krijgen. En dat ga ik dan ook doen.'

Ik deed nog een stapje naar voren, tot mijn schouder zich tegen die van Nicola bevond en de man me wel moest aankijken. Hij schonk me een lange, taxerende blik. Ik haalde diep adem, maar Nicola legde haar hand op mijn arm.

'Het is wel goed, Hel. De paniek sloeg alleen even toe.'

Ik voelde dat haar schouder zich ontspande – jarenlange ervaring met yoga. Ze schonk de man haar voorname glimlach.

'Ik vertrouw erop, dokter,' zei ze, 'dat u precies weet wat u doet. Vooruit maar.'

*Vooruit maar?* De wind was me uit de zeilen genomen. Ik keerde terug naar mijn stoel. De naald doorboorde het rondje strakke huid, de vloeistof in het slangetje begon te druppelen, en de man liep met zijn trage tred het hokje uit.

'Heb ik iets miszegd?' fluisterde Nicola. 'Wat heb ik fout gedaan?'

‘Het is een lompe plurk, híj is fout. Je accent bevalt hem niet, en hij zal wel denken dat we lesbo’s zijn.’

‘Ik was bang dat je met hem op de vuist ging. Je ziet helemaal rood.’ Ze keek me verwijtend aan, begon zelfs te giechelen.

‘Hij mag niet zo’n toon tegen je aanslaan.’ Ik pakte mijn lippenstift en werkte driftig mijn mond bij.

‘Je hoeft niet te blijven, Hel. Ga thuis maar een beetje werken. Als ik klaar ben stuur ik je wel een sms’je.’

Ik had helemaal geen werk liggen, want met het oog op de logeerpartij had ik zo veel mogelijk dingen afgezegd. Niettemin rende ik de negen betegelde trappen af en wandelde richting Flinders Street.

Ik was niet gewend om halverwege de ochtend de trein naar Broadmeadows te nemen. Het was niet druk en de rit had wel iets kalmerends: langs de rivier, voorbij het Docklands-stadion en door het noorden van Melbourne. De trein denderde de droge rivierbedding over, schoof tussen de oude pakhuizen door en liep evenwijdig aan de met staal gestutte bakstenen muur die Bellair Street scheidde van de spoorbaan. Ik was altijd bang dat die muur nog eens op de rails zou storten, en toch hij stond er nog, vijf meter hoog en een beetje bol, maar nog steeds stabiel, zich koesterend in de ochtendzon die op zijn gehavende rozerode flanken viel. Er ontspande zich iets in mijn borst, en voor het eerst die dag haalde ik diep adem. Oké. Laat die bespottelijke behandeling nu maar voor wat hij is. Ga naar huis en breng de boel op orde.

Na de onrustige nacht was Nicola’s beddengoed nog een rommeltje. Ik haalde de klamme lakens af, sleurde vervolgens de matras van het onderstel en zette hem bij de open deur te luchten in de zon. Terwijl ik in de achtertuin de eerste lading wasgoed ophing, riep Eva me vanuit haar tuin iets toe. Ik liep tussen de bonenstaken door naar de opening in de schutting, maar ze riep schor: 'Blijf uit m'n buurt! We zijn allemaal snotverkouden.'

'Wat, zelfs Mitch?' Haar man stond erom bekend dat hij nooit, maar dan ook nooit ziek was.

'Allemaal. Het heerst in de crèche van Hughie. Ik hou de kinderen bij je uit de buurt. Bessie mist je. Ze zit voor de tv tranen met tuiten te huilen. We hebben haast niets meer te eten in huis.'

Eva stond op blote voeten en in haar nachthemd gelaten naast het caviahok. Hughie hing landerig op haar schouder. Met doffe ogen keek hij op uit haar warrige haardos. Arme kinderen.

Ik pakte de auto, ik deed boodschappen, ik betaalde. Ik leverde dozen boordevol biologische producten bij Eva op de stoep af. Pas toen hun tuinhekje achter me dicht was gevallen, deed zij de hordeur open.

Even later stond de afwas in het afdruiprek. Het aanrecht blonk. Schoon linnengoed lag opgevouwen in fris geurende stapels. Ik deed een dutje ter voorbereiding op de volgende nacht vol onderbrekingen en karweitjes bij lamplicht. Daarna zette ik de ingrediënten klaar voor een lekker soepje op basis van dashi, met tofu en noedels. Voor zulke dingen draaide ik mijn hand niet om! Ik kreeg vast de naam een regelnicht te zijn.

Om vijf uur belde Nicola om op haar meest afgemeten

toon te zeggen dat de behandelingen er voor die dag op zaten. Ze wuifde mijn aanbod weg: ze nam wel een taxi naar huis. Ik installeerde me op de bank tegenover de deur en wachtte haar op. Tegen zessen werd er een sleutel moeizaam in de voordeur gestoken en schuifelde er een schim de gang in. Haar schouders hingen, haar knieën knikten en haar hoofd stak naar voren aan een vrijwel horizontale nek. O, wat hadden ze haar aangedaan? Ik sprong overeind. Maar toen ze het licht van de keuken in kwam zag ik op haar gezicht weer die verschrikkelijke glimlach, de grimas die beduidde: geen vragen stellen.

'Niet denderend,' mompelde ze, met twee handen de hoek van de bank omklemmend. 'Regelrecht naar bed.'

'Zal ik je dadelijk iets te eten brengen? Een klein kommetje soep? Op bed?'

Ze schudde van nee. Haar huid glom van het zweet, maar die grimlach was niet van haar gezicht te branden, haar wenkbrauwen waren hoog opgetrokken. Ze draaide zich om en strompelde door de gang naar haar kamer. Ik hoorde het raam met een klap dichtgaan.

Ik zette water op en wikkelde de kruik in een dunne doek. Haar deur was dicht. Moest ik kloppen? Ik deed de deur open en glipte naar binnen. Ze lag op bed, nog helemaal aangekleed, met haar ogen dicht. De laatste zon weerkaatste tegen de muur van het buurhuis, waardoor er een ongezellig, schel licht hing.

'Wat ruik ik toch?' vroeg ze zonder haar ogen te openen. 'Ben ik dat?'

'Ik ruik niks.' Ik legde de warme kruik naast haar.

'Raar luchtje. Jakkes.'

Ik snoof. Nu het raam dicht was rook het er inderdaad onfris, naar een wollen trui in de regen. Ik knielde en snuffelde aan het nieuwe Iraanse kleed.

'Het zal de verf in het kleed wel zijn. Zal ik het weghalen?'

Ze gaf geen antwoord. Ik rolde het op en zeulde het naar de gang. Daarna trok ik aan het koordje van de jaloezieën en werd het schemerig. Nog steeds deed ze er het zwijgen toe. Haar ademhaling versnelde zich. Ze hijgde en begon te klappertanden.

'Nicola, wat kan ik voor je doen?'

'Slapen. Ik wil slapen. Ga maar. Dank je.'

Het liefst had ik haar schoenen uitgetrokken, een katoenen deken over haar heen gelegd. Maar ik durfde haar niet goed aan te raken. Ik was bang voor haar zwakte, bang voor haar wilskracht. En dus liep ik de kamer uit en deed de deur achter me dicht.

Er werd die nacht gezweet. Schouder en buik waren pijnlijk. Telkens als ik haar hoorde rondscharrelen ging ik zonder iets te zeggen naar haar toe. Ze probeerde te glimlachen; ze deed alsof ze niet leed. Het enige wat ze ter verlichting had was de laatste paracetamol van die dag. Ik droeg water aan in de porseleinen kan met het roze hortensiamotief en schonk het in mijn mooiste glazen; ik dronk met haar mee. Het was of de intraveneus toegediende vitamine C haar wervelkolom aantastte: ze kon haar rug niet recht houden.

Ik verzorgde haar, haalde het bed af en maakte een bundel van de lakens, sloeg nieuw linnengoed uit, verschoonde haar bed en verschoonde het nog eens. Terwijl ik in de weer was zat zij op de houten stoel in het hoekje, met hangend hoofd en haar lange handen met de blauwe plekken ineengeslagen op schoot.

Eindelijk viel ze echt in slaap. Ik kroop weer in bed, en het werd stil in huis.

ꝏ

De volgende ochtend kwam ze de keuken in terwijl ik, suf van vermoeidheid, met het ontbijt bezig was. Ze bewoog zich heel langzaam, maar hield haar hoofd geheven. De starre glimlach was terug. Ze nam plaats op een kruk, wilde wel een bakje yoghurt met fruit, en lepelde dat met kleine hapjes naar binnen.

'Hoor eens,' zei ik. 'Heb je bij de kliniek gezegd dat je pijn hebt?'

Ze keek verbaasd op. 'Ach lieverd,' zei ze, op bijna verveelde toon. 'Ze behandelen kanker. Pijn hoort er nu eenmaal bij. Mijn pijn interesseert ze niet.'

Ik wendde me af naar de gootsteen en trok ruw mijn rubberhandschoenen aan.

'Sorry voor vannacht,' vervolgde ze luchtig. 'Het komt van de vitamine C. Die trekt de kanker uit me weg, en dat doet pijn.'

Ik bleef met mijn rug naar haar toe staan en zette het bestek in de vaatwasser.

'Maar toch,' zei ik. 'Je hebt meer slaap nodig dan je nu krijgt. Zou je niet naar een huisarts moeten, om een recept te halen voor iets sterkers dan paracetamol?'

Ze legde haar lepel neer. 'Helen,' zei ze, 'ik moet vertrouwen hebben in die vitamine C. In de loop van de volgende week is die verrekte ziekte op z'n retour. Jij moet er ook in geloven – voor mij.'

Tot dan toe was ik het probleem uit de weg gegaan door me te concentreren op eenvoudige karweitjes. Nu rook ik het voor het eerst echt goed: de ongezonde lucht van de leugen. Ik dwong mezelf te knikken. Ik sloeg mijn ogen neer en boende de tanden van een vork schoon. Oké. Het was donderdag. Ze hoefde de intraveneuze vitaminen maar eens in de twee dagen te verduren; vanmorgen kreeg ze de minder ingrijpende onzin: ozon en cups. Maar vrijdagnacht zou weer een akelige nachtmerrie worden. Ik zou het listig moeten aanpakken.

Ik zette haar af bij het Theodore Instituut en reed daarna in een wijde bocht langs de rivier naar Leo. Misschien was er tussen twee cliënten een gaatje voor me. Ik rammelde met de klopper. De nagels van de hond krasten over de houten vloer. Leo deed open en keek verrast op toen hij me zag. Hij wierp geïrriteerd een blik op zijn horloge, en vervolgens op het tuinhek achter me.

'Ik ben zo weer weg. Het gaat over paracetamol.'

'Krijgt ze niet iets sterkers?' Hij haalde lang en diep adem. ''s Nachts gaat het zeker beroerd?'

Ik knikte. Van wanhoop kreeg ik een brok in mijn keel. Ik slikte hem weg. 'Wat moet ik doen?'

'Paracetamol is niet sterk genoeg meer. Acht per dag is het absolute maximum. Panadeine forte is misschien beter. Of morfine. Maar een huisarts geeft een onbekende patiënt niet zomaar morfine. Je kunt het beste contact opnemen met haar oncoloog in Sydney. Die kan een machtiging faxen. En schroom niet. Oncologen zijn zulke dingen gewend.'

'Kan ik dat tegenover mijn vriendin wel maken?'

'Ze zet je behoorlijk onder druk. Hulp inschakelen, daar is niets mis mee.'

De klink van het hekje klikte en een vrouw in mantelpak en op hoge hakken kwam het tuinpad op. Ik deed een stap opzij. Leo gebaarde glimlachend en galant naar de open deur. In het voorbijgaan hield ze haar blik van me afgewend. Haar discretie was voorbeeldig maar irriteerde me. Ik had de neiging haar toe te roepen: 'Ik ben geen cliënt!' Ze stapte de drempel over en verdween de gang in. Ik draaide me om en wilde weggaan.

Leo legde een hand op mijn schouder. 'Helen, angst is een slechte raadgever. Als je het hard wilt spelen, neem dan contact op met de mensen van de palliatieve zorg. Die komen bij je thuis. Dat klinkt nogal drastisch, ik weet het, maar morgen is het vrijdag. En een weekend kan akelig lang zijn als je niemand achter de hand hebt.'

Ik rende naar mijn auto. Wat deed Leo tijdens zijn werk met de hond? Had het beest een bed in de keuken, een bot om op te knagen, een bak vers water? Was het gelukkig? Was het wel de bedoeling dat een hond gelukkig was? Misschien was het idee dat je gelukkig moest zijn wel het domste wat je kon denken.

ꝏ

Die dag kwam Nicola helemaal getroost en gesterkt thuis. Ik begon niet over pijn, zij ook niet. Ze ging een poosje naar haar kamer om te rusten; daarna keken we naar het nieuws en aten op de veranda. Tegen de schuur stonden de veelbelovende rijen tuinbonen mooi groen te zijn. De hemel kreeg een rode gloed en het begon te schemeren. Door de kleurige prachtlori's die de palmboom bij het buurhuis in en uit schoten moesten we denken aan de kookaburra die op een dag dat ze buiten had zitten lunchen over tafel was gedoken, met zijn snavel een kluit dure Deense boter had weggegrist en naar een hoge tak was gevlogen; later zagen we de gulzige vogel in de struiken bij de waterbak staan, met wijd open bek naar voren gebogen, als een dronkenman bij een kroeg.

'Had ik mijn ukelele maar meegenomen,' zei ze, haar lachtranen drogend. 'Ik weet niet eens meer wanneer we voor het laatst samen hebben gespeeld.'

'Hoe lang ben je nu van huis?'

'O, al maanden. Ik moest bij Iris logeren om in de buurt te zijn van het St. Vincent, voor de bestralingen. Trouwens, ik heb geen puf om de helling op te sjouwen.'

Nicola woonde achter het noordelijke strand van Sydney, op een heuvel die alleen per boot te bereiken was. Jarenlang had ze in een aluminium bootje gependeld tussen de pier van Palm Beach en de steiger onder haar huis, bij mooi weer een tochtje van tien minuten. Ik parkeerde altijd aan de Palm Beach-kant en dan kwam ze me daar ophalen, loodste me met de boodschappen het withouten laddertje af en startte met een ruk aan het koordje de brullende buitenboordmotor. En dan stuiterden we ervandoor. Rechtop en statig als een adellijke dame zat ze aan het roer, in wijde kleding die opbolde en rimpelde in de wind, met haar zilvergrijze haar wapperend om haar hoofd.

Ik voelde me veilig als we onder haar praktische, opgewekte commando over het water scheerden en de tassen het steile pad tussen de struiken op zeulden. Op haar terrein maakte zij de dienst uit en luisterde ik naar haar. Zij wist alles van teken en bloedzuigers, slangen en varanen, hoe de vogels heetten en hoe ze zich gedroegen, de gestalten van de maan, hoe je water kon besparen, hoe je buiten vuur maakte. Ze was ouder, langer, moediger en vrijer: ze had zichzelf geleerd om alleen te leven.

De eerste keer dat ik er een weekend ging logeren daagde ze me uit om samen met haar de met struikgewas overwoekerde helling te beklimmen die achter haar huisje oprees naar natuurpark Kuringai Chase. Grommend en vloekend klauwden we ons naar boven en hesen we ons – twee groezelige, hijgende oude vrouwen – uit de struiken een pad op waarover toevallig net een chic stel aan kwam wandelen, in lichte, pasgestreken sportieve kleding, met een shitzu trippelend aan de lijn. De hele middag lagen we op bed schitterende literaire werken te lezen en dan riepen we elkaar kritische of bewonderende opmerkingen toe.

Die avond liepen we met de fles Stoli over het ruige pad

naar de steiger, waar we in het donker op ons jack gingen zitten en het lange gesprek begonnen dat onze vriendschap zou smeden. Ze vertelde me over Hamish, de enige man met wie ze ooit had samengewoond – ze was dol op zijn kinderen, met wie ze nog steeds contact had – maar die zich schofterig had gedragen; en over een Aboriginal die, in de periode dat ze aan de lsd was en ergens in het regenwoud geestelijk was ingestort, uit het niets was opgedoken en haar van de hongerdood had gered.

Toen ze een jaar of zeven was, vertelde ze, speelde ze op een middag in de tuin toen er een buurman van in de twintig over de schutting was geklommen. 'Hij is ervandoor gegaan. Nadat ik een beetje was bijgekomen heb ik me verstopt bij de trap aan de achterkant. Daar ben ik blijven zitten tot het donker werd en mijn moeder en mijn zusje me riepen. Ik wist dat ik nooit maar dan ook nooit zou kunnen vertellen wat er was gebeurd. En dat heb ik dan ook nooit gedaan.'

Ik was al halfdronken en zei: 'De vuile viezerik. Leeft hij nog?'

Ze haalde haar schouders op.

'Zou je hem niet het liefst opsporen en verrot slaan? Ik help je wel. We kunnen bij de burgerlijke stand gaan zoeken.'

Ze lachte welwillend maar schamper. We zaten ineengedoken op het puntje van de oude houten steiger. Touwen klepperden tegen masten. Over het donkere, rusteloze water van de zeearm hadden ankerlichten een schijnsel gelegd dat een dichter, zo vertelde ze, 'gestapelde schotels van licht' had genoemd.

Nu we op mijn achterveranda zaten zei ze: 'Zodra ik bij het Theodore klaar ben, ga ik weer naar huis. Liever vandaag dan morgen. Maar ik had de kracht niet om aan het startkoordje van de buitenboordmotor te trekken.'

'Kun je niet zo'n zelfstarter kopen? Dan hoef je alleen maar op een knopje te drukken.'

'Die maken ze alleen vanaf dertig pk. Als ik er zo een aan mijn schuitje zou hangen, stond het verticaal.'

We lagen dubbel. O, wat kon ze me toch heerlijk aan het lachen maken. Ik kende niemand die zo weinig verbeelding had als zij, die zo aardig was, nooit krengerig. Ik kon me de wereld zonder haar niet voorstellen. Ze vertikte het om het toe te geven, maar haar huis was onbereikbaar. Ze zou nooit meer thuiskomen, tenzij iemand haar op zijn rug nam en haar naar boven droeg.

Met de lege borden bij onze voeten overlegden we naar welke films we de komende week zouden gaan, wanneer ze eenmaal gewend was aan de behandelingen. We deden alsof we niet hoorden dat de verbannen Bessie op de trampoline achter de wisteriaheg stond te springen en daarbij een droevig liedje zong, dat ze af en toe rochelend hoestend moest onderbreken.

WE GINGEN VROEG naar bed. Ik sliep licht en onrustig, werd vaak wakker en droomde verwarde verhalen over mislukking en teleurstelling. Toen ik om zes uur opstond en de keuken in liep om de zonwering op te trekken, struikelde ik bijna over haar: ze zat met haar armen om haar knieën geslagen op de grond licht te wiegen. Ik ging kijken: haar bed was een grote warboel van natte lakens.

'Ik wilde je niet wakker maken,' zei ze. 'God, ik ben die pijn zó zat.'

Zonder iets te zeggen gingen we aan de slag; met vereende krachten kregen we haar overeind, gewassen en afgedroogd, en op de bank geïnstalleerd. Ik gooide de ramen open en legde een plaid over haar heen. Ze zag wit.

'Waar doet het pijn?'

'Hier. Nek. Schouder. Ik heb zeker een spier verrekt bij het omdraaien in bed.'

'Wat heb je vannacht genomen?'

'Paracetamol. Ik had er nog maar twee. Ze zijn op.'

'Oké. Vandaag gaan we echte pijnstillers voor je halen.'

Moeizaam trok ze haar knieën op. 'Het ziekenhuis in Sydney heeft me een recept gegeven voor slowrelease morfine.'

'Mooi zo. Als jij in de kliniek bent, ga ik er wel mee naar de apotheek.'

'Ja maar Hel… Ik heb het bij Iris laten liggen.' Ze keek me met een scheef lachje aan.

Ik kreeg mijn opengevallen mond bijna niet meer dicht. Ik slikte. 'Dan mail ik haar vandaag wel even, dan kan ze het op de post doen.'

Ze verstrakte. 'Hoe kom je aan haar mailadres? Ik wil niet dat jullie elkaar overlast bezorgen.'

'Hè? Nou, bel dan je oncoloog in Sydney. Vraag of zij regelt dat je hier aan morfine kunt komen.'

Ze klakte met haar tong. 'O nee, lieverd, ik kan haar echt niet bellen. Trouwens, ze is er toch niet. Ze doceert drie dagen per week aan de universiteit.'

'Nicola, op een universiteit hebben ze ook telefoon.'

'Nee, ik wil haar niet lastigvallen.'

'Lastigvallen?' Mijn stem schoot uit. 'Je bent een patiënt van haar. Het is haar werk, het is haar plícht om te zorgen dat jij geen pijn hebt.'

Ze draaide haar hoofd op het kussen en keek naar buiten. Ik stond bij het aanrecht te wachten, met het vaatdoekje in mijn hand. En op de haar eigen hooghartige manier stapte ze over op iets anders.

'Je hoeft me vandaag niet naar de stad te brengen, hoor Helen,' zei ze. 'Ik ga wel met de trein.'

Ik wrong het doekje hardhandig uit en mikte het in de gootsteen.

'Is er iets?' Ze was de onschuld zelve, wenkbrauwen opgetrokken, hoofd scheef.

'Waarom werk je me zo tegen? Je moet pijnstillers hebben. Ook al neem je ze uiteindelijk niet in, we móéten iets in huis hebben.'

'Ach Hel,' zei ze langzaam, en ze ontblootte haar tanden tot een grimas van vermoeide superioriteit. 'Dit hoort nu eenmaal bij die vitaminekuur. Het komt alleen doordat de gifstoffen...'

Ik liet haar niet uitpraten. 'Het gaat me niet om de rompslomp. Ik doe het allemaal met liefde voor je. Maar als je zo veel pijn hebt, vind ik het griezelig dat je niet eens een pil hebt die iets uitricht. Misschien moesten we maar eens iemand van de palliatieve zorg hier bellen. Gewoon, voor het geval dat. Dan kennen ze ons tenminste.'

Ze hief beide handen op. 'Nee. Met palliatieve zorg wil ik niets te maken hebben.'

'Waarom niet?' vroeg ik berustend, want ik kende het antwoord al.

'Dat is het laatste stadium voor de dood.'

Het woord was gevallen. Ik had haar zover gekregen. Ik keek naar haar, zoals ze daar op de lavendelblauwe bank lag en manhaftig vocht tegen haar angst, en mijn hart verkrampte tot een kluwen van medelijden, liefde en woede.

'Nu moet je eens goed luisteren,' zei ik, met een stem die ik amper herkende. 'Jij bent naar mij toe gekomen met de vraag of ik drie weken voor je wil zorgen, en dat zal ik doen, want je bent mijn vriendin en ik hou van je, maar ik kan dit niet in mijn eentje af. De eerste week is nog niet eens voorbij en ik ben al uitgeteld. Je moet je erbij neerleggen dat ik hulp inroep.'

Rondom haar ogen was het wit zichtbaar. 'Ik wil alleen jou om me heen.'

'Vooruit. Laten we dan met de medicijnen beginnen. Als

je niet naar mijn huisarts toe wilt, vragen we bij het Theodore of zij iemand in de stad kunnen aanbevelen. Vandaag nog.'

Ik pakte het lege compostemmertje, zette het onder de kraan en liet het water erin kletteren. Vlakbij in de vensterbank stond een vaasje. Het was me niet eerder opgevallen hoe intens rood het was. Het was niet het soort kleur waar ik iets mee had. Zeker van iemand gekregen. Toen ik me omdraaide stond Nicola naast de bank. Ze hief haar hoofd op en keek me recht aan. Ik was vergeten hoe bruin haar ogen waren. Haar gezicht stond rustig en ernstig.

'Sorry, Helen,' zei ze. 'Ik ben over tien minuten klaar.'

Die ochtend leek het me beter om de confrontatie met Colette maar niet zelf aan te gaan. Ik wachtte buiten bij de rokers, terwijl Nicola met de lift naar boven ging om naar een huisarts te informeren. Ze kwam terug met de naam van een dokter die praktijk hield in Bourke Street, vijf minuten verderop. Nicola hield haar nek weer naar voren en liep moeilijk; we deden kalm aan en gingen als kleine kinderen de trap voor het gebouw op: tree voor tree.

Wat zou deze dokter nu weer voor malloot zijn? Ik fleurde echter op toen ze de wachtkamer binnen kwam en Nicola bij zich riep. Een elegante, broodmagere vrouw van tegen de veertig, in een slankgesneden jasje en dito rok die haar als gegoten zaten; ze had zulke knokige enkels en voeten dat ze moest sloffen om niet uit haar hooggehakte sandalen te schieten. Haar haar was borstelig stug en haar gezicht had iets geheimzinnigs door een flauw maar onmiskenbaar ironisch lachje. Als Tuckey voor Nicola het ideaalbeeld was van een dokter, dan was Naomi Caplan dat voor mij.

Terwijl Nicola meeliep en de deur dichtging, dwong ik mezelf regelmatig te ademen. Eerst hing er een geconcentreerde stilte, daarna verhief de telefoonstem van de dokter zich ongeduldig en autoritair. Ik wachtte. Ik spelde een *Women's Weekly*. Achter de receptiebalie begon een fax te piepen en te snorren. De dokter kwam haar kamer uit, stormde erheen en rukte het vel papier uit het apparaat, om weer in de spreekkamer te verdwijnen. Hier kon ik niet genoeg van krijgen.

Ten slotte kwamen ze allebei tevoorschijn. Nicola had een opgevouwen velletje papier in de hand. Haar glimlach was schaapachtig, die van de dokter blikkerde staalhard.

'Bent u haar vriendin?' vroeg dokter Caplan mij. 'Bij een apotheek in het centrum kunt u op zo korte termijn geen morfine krijgen. Ik raad u aan om naar het Epworth-ziekenhuis te gaan. Daar kunt u erop wachten.' Ze knikte en draaide zich op haar slanke benen om.

Het liefst was ik haar achternagehold om haar te bedanken en tekst en uitleg te geven: *Ik kan er niets aan doen! Ik ben niet zoals zij! Ik ben verstandig!* De deur viel met een klik dicht. Nicola rommelde in haar tas naar haar creditcard. Ik ging naar buiten, de frisse lucht in. De wereld sprankelde ondraaglijk licht.

In een cafetaria bestelden we ieder een glas groentesap en gingen zwijgend aan een tafeltje zitten. Toen ze me aankeek stond haar gezicht deemoedig maar gesloten. Ik vroeg maar niet wat er zich bij de dokter had afgespeeld. Om tien uur schuifelde zij terug naar het Theodore, ik ging met de tram langs Wellington Parade naar Melbourne-Oost.

Ik was voorbereid op een strijd bij de apotheek. Terwijl de tram de heuvel voorbij de Fitzroy Gardens op sukkelde, welde er een redeloze woede in me op. Ik herinnerde me het bezoek aan een vriend van me, Damien, in een befaamd academisch ziekenhuis. Hij was in het moeizame laatste stadium van de kanker waaraan hij al twintig jaar leed; hij had iets gebroken en zou er een pen in krijgen. Terwijl ik aan zijn bed zat, begon hij te zweten en te woelen onder het laken. Het was halfzes. Hij smeekte me om naar de zusterspost te gaan om ze te helpen herinneren dat hij over een halfuur zijn volgende dosis pillen moest hebben. Om hem ter wille te zijn liep ik naar de balie en gaf de overbodige boodschap door. Ik bracht het bijna als een grapje. Maar de verpleegkundige, een jongeman, zat er helemaal niet mee. Hij zoog zijn adem tussen zijn tanden door naar binnen. 'Dan zouden we wel eens een probleem kunnen hebben,' zei hij. 'Degene die de sleutel van de kast heeft had hier twee uur geleden al moeten zijn.'

Een sleutel? Een kast? In welke eeuw leefden we?

Ik vroeg hem hoe het middel heette. Hij noemde de naam. Ik herinnerde me dat ik drie onaangebroken doosjes met dat spul had zien liggen toen ik de avond ervoor bij Damien thuis in de badkamer de tandpasta had gezocht. 'Het is zeker ondenkbaar,' zei de verpleegkundige, 'dat u ze even gaat halen?'

Damien woonde nog geen kilometer van het ziekenhuis. Taxi's waren er niet. Ik zette het op een hollen. Ik rende door de smalle straten, mijn tas bonkte tegen mijn rug. Zijn vrouw deed open. We gingen op zoek naar de pillen. Ik graaide de doosjes mee en ging op de terugweg. Om twee minuten over zes stormde ik de afdeling op. 'Geef hier,' zei Damien. 'Geef hier!' Ik rende langs hem heen en gooide de verpleegkundige de doosjes toe. Dat was de laatste keer dat ik Damien zag. We hebben nooit afscheid genomen. Drie dagen later was hij dood.

Ik stapte uit de tram en ging naar de apotheek van het Epworth.

Een meisje in een blauw jasschort nam het recept in ontvangst, monsterde me en zei onverschillig: 'Het duurt een minuut of tien.' Ik ging op de gecapitonneerde bank zitten. Nicola's naam werd afgeroepen. Ik ondertekende het formulier en kreeg het doosje. Eenmaal weer op Bridge Road ging ik bij de tramhalte in de zon staan; het duizelde me, zo snel was alles in zijn werk gegaan.

Waar kwam al die woede vandaan? Ik moest aardiger voor haar zijn. Doodgaan was angstaanjagend. Maar het was een stuk makkelijker om me voor te stellen dat ik lief deed nu er een doosje slowrelease morfinepillen in mijn tas zat.

∞

Nicola kwam die namiddag weer slap en rillend van de kou terug van de kliniek. Eten was uitgesloten. Ze moest zich eigenlijk wassen, maar de gedachte aan water op haar huid was ondraaglijk. Ik hielp haar in bed en lapte met een vochtig washandje haar gezicht en hals af, en daarna haar voeten. Verder wilde ze met rust gelaten worden. Ze was zo iemand die graag in de frisse lucht sliep; ze ging er altijd prat op dat de meisjes op haar kostschool in de Southern Highlands zomer en winter op een open veranda sliepen. In haar huis bij Palm Beach was elk briesje welkom: haar leven daar was een soort veredeld kamperen geweest. Maar nu moest haar kamer donker en bedompt zijn, het raam hermetisch dicht.

Ik maakte een bordje pasta en ging voor de tv zitten eten. Halverwege het nieuws viel ik op de bank in slaap. De telefoon ging en ik stommelde erheen. Een jonge vrouw met een zachte, bezorgde stem vroeg Nicola te spreken.

'Ze voelt zich vanavond niet zo geweldig,' zei ik. 'Kun je morgen terugbellen?'

'O, mag ik haar alsjeblieft even spreken?' zei de vrouw. 'Ik heb vandaag pas gehoord dat ze ziek is. Ik ben de dochter van Hamish... Ik weet zeker dat ze wel met me wil praten. Heel eventjes maar?'

Ik liep met de draadloze telefoon door de gang naar Nicola's deur. Er brandde licht. Ik meende haar te horen kreunen.

Ik deed de deur open en stak haar de telefoon toe. 'De dochter van Hamish?'

Ze schudde haar hoofd en stak een hand op. Ik maakte snel een eind aan het gesprek en verbrak de verbinding.

'Mijn schouder weer,' zei Nicola. 'Mijn nek. En er is een nieuwe pijn bij gekomen. Midden in mijn buik. Ik ben bang dat het mijn lever is.'

Ik ging een morfinepil halen en hield hem als een hostie tussen duim en wijsvinger. Ze keek er argwanend naar.

'Nicola. Neem hem nou maar.'

'Ik wil er niet aan verslaafd raken.'

'Je raakt er niet aan verslaafd. Je slaapt er wel goed op.' Ik schonk een glas water in.

Ze schudde haar hoofd. 'Ze hebben me vandaag weer die vitamine C gegeven. Daar komt het natuurlijk door dat mijn schouder meer pijn doet. Het zijn de gifstoffen die worden uitgedreven.'

Ik legde de pil bij het glas water op het nachtkastje. 'Oké. Kan ik nog iets anders voor je halen?'

'Ik ben een beetje misselijk. Je hebt zeker geen frisdrank in huis?'

Ik liep met de fiets aan de hand over het zijpad en haastte me in het donker naar de buurtsuper. Ja, er brandde nog licht. De jonge eigenaar was de vloer aan het dweilen. Hoe zag hij kans zo heerlijk hoffelijk te blijven, terwijl hij zulke gruwelijk lange uren maakte? Naast de kassa stond een platte doos met chocoladekogels. Hij en zijn zwangere vrouw waren er achterin vast uren mee bezig geweest, met de lekkernijen los tussen hen in op tafel: ze hadden er telkens tien op een stuk plasticfolie gelegd en dat met een plakbandje tot een buideltje gebonden. Ik griste een zakje uit de doos en pakte een fles fris uit de wandkoelkast. Met één hand aan het stuur fietste ik door de verlaten straat, terwijl ik met de andere chocolaatjes in mijn mond stak. De fles rolde heen en weer in het fietsmandje.

Nicola wilde wel een glas, maar ze vond de gazeuse nog te

veel bruisen. Met haar hoofd als een schildpad naar voren zat ze in bed te wachten tot het minder werd.

'Ik heb vandaag iets bedacht,' zei ze. 'Ik zou iets over het Theodore Instituut moeten schrijven. Dat zou goed voor ze zijn. Ze hebben publiciteit nodig.'

Ik ontweek haar blik.

'Ik snap niet,' zei ik, 'dat ze je telkens weer die vitamine C toedienen, terwijl ze weten hoe heftig je daarop reageert. Wat is de bedoeling eigenlijk?'

'Maar Helen,' fluisterde ze, 'met chemo en bestraling gaat het precies zo. Niemand weet hoe dat werkt, maar toch wordt het toegepast.'

Daar wist ik niets op te zeggen. Ik ging in het hoekje op de harde stoel zitten.

'Lieverd,' fluisterde ze even later. 'Ik denk dat ik die morfine toch maar neem.'

Zo'n drie kwartier later hoorde ik haar scharrelen. Ze was weer gaan zitten, met haar schouders tot op haar knieën gebogen.

'Wat is er, meid?'

'Het is vast alleen die troep die eruit komt. Straks zal ik proberen of ik op mijn buik kan liggen.'

'Goed. Wat kan ik doen?'

Ze zweeg. Ik bleef naast het bed staan wachten. Er verstreek een halve minuut.

'Ik denk dat ik het nu ga proberen.'

Ik deed een stap dichterbij. Hoe moet je iemand omdraaien die pijn heeft in haar schouder, in haar nek en in haar buik? Waar kon ik haar beetpakken? Machteloos van onwetendheid stond ik daar. Even later hoorde ik haar gedecideerd inademen. Kreunend en puffend rolde ze op haar zij; ze vroeg of ik een kussen onder haar wilde leggen en liet zich er voorover op zakken.

ꝏ

Kort na middernacht riep ze me. Haar bed was doorweekt van het zweet. Omdat de pijn echter minder leek, stuurde ik haar naar de bank in de grote achterkamer terwijl ik de lakens verschoonde. Later vond ik haar daar in de kussens geleund, een beetje suf van de morfine, maar redelijk helder van geest.

'Ik lag daar,' zei ze, 'en ik dacht: fuck! Ik had die huisarts niet om de lichtste dosis moeten vragen!'

Ze had dus om de lichtste dosis gevraagd.

Mijn benen droegen me niet meer. Met de bundel natte lakens plofte ik op de armleuning van de bank.

'Nicola,' zei ik. 'Er moet me iets van het hart. Als je het niet goedvindt dat ik maandag die mensen van de palliatieve zorg bel, hou ik dit niet vol, denk ik.'

Ze verstrakte. 'Dat heb ik al gezegd: die heb ik niet nodig!'

'Het is de engel des doods niet,' zei ik. 'Het zijn gewoon een paar jonge vrouwen in een auto.'

'Nee, zei ik toch.'

'Als we ons op de lijst laten zetten, komen ze als we ze nodig hebben. Zij kunnen iemand de nacht door helpen. Zo ongeveer als een wijkverpleegster.'

Ze richtte zich op. 'Ik heb geen verpleegster nodig.'

Ik mikte de lakens op de grond, schopte ze helemaal naar de bijkeuken en propte ze in de wasmachine. Ik klapte de strijkplank in en zette hem tegen de muur. Ik sorteerde een mand droog wasgoed. Tussen de apparaten die reinheid en orde brachten, wachtte ik tot ik mezelf weer in de hand had. Toen ik me weer vertoonde sprak ze me vanaf de bank hautain toe, zonder haar ogen open te doen.

'Ik heb besloten wat ik ga doen. Ik huur een serviceappartement. Of ik neem zo'n énig hotelletje in South Yarra. Het gaat nog maar om twee weken. Ik wil niemand tot last zijn.'

Ik leunde tegen de koelkast. De knobbelige magneetjes, die allerlei lijstjes op hun plaats hielden, drukten in mijn rug. Ik draaide me om en herschikte ze in een fraai patroon: de citroenen, de beschilderde rozen, de twee gouden bijen die Hughie zo mooi vond. Ik liep met de kruik naar de ketel, vulde hem en ging hem haar brengen. Ze had haar ogen nog dicht. In de logeerkamer maakte ik haar bed weer op en schudde de kussens op. Daarna sleepte ik me naar mijn eigen kamer en kroop onder de quilt.

Hoe was ik hierin verzeild geraakt?

De dood waarde rond in mijn huis. Het regime van de dood verdrong akelig gewelddadig het nieuwe leven. Ik verlangde naar de kinderen van hiernaast, naar hun kleine, energieke lijven waar de levenskracht doorheen stroomde. Het liep tegen enen, maar ik was helder, klaarwakker. Ik meende iets in de keuken te horen, gemompel misschien, maar ik móést voor twee uur in slaap zien te vallen, het tijdstip waarop de extreme droogte, de vluchtelingenkampen, de kwijnende aarde en alle tekortkomingen en valse trekjes in mijn karakter me kwamen belagen.

Op het nachtkastje lag een roman geschreven door een Vietnamese vrouw, een manuscript dat ik vorige week al had moeten lezen. Ik pakte er een willekeurige pagina uit. De personages werkten kennelijk in een naaiatelier, waar ze uitgebuit werden en onder het toeziend oog van een strenge opziener prullaria in elkaar moesten zetten. 'Op dat soort lege momenten,' merkte de verteller op, 'gaat de tijd al sneller als je een liedje zingt dat je je vaag herinnert.'

Mijn ukelele lag op de grond te verstoffen. Ik pakte hem bij de hals uit de kist en hield hem een poosje tegen me aan. De stijve houten rondingen waren troostrijk. Hij was nog op toon. De slaapkamerdeur stond open, maar de morfine had vast zijn uitwerking niet gemist. Ik ging rechtop in bed zitten en begon zachtjes te spelen. Half binnensmonds zong ik 'Tennessee Waltz' en 'After the Ball' – langzame deuntjes in driekwartsmaat die mijn vingers de kans gaven het volgende akkoord te zoeken maar toch in de maat te blijven. Toen zweeg ik en streek alleen over de snaren, amper hoorbaar.

Ik legde de ukelele net weer in de kist toen ze me vanuit haar kamer iets toeriep.

'Hel?'

'Ik ben hier.'

'Welterusten. We bellen maandag de mensen van de palliatieve zorg.'

GOD ZIJ GEDANKT voor morfine. De volgende ochtend was ze in een opperbest humeur, hartelijk met een licht schuldbewuste ondertoon. Bij het ontbijt nam ze nog een pil in, waarna ze de tuin in keek.

'Wat een mooi weer!' riep ze nerveus enthousiast uit. 'We zouden in de tuin aan de slag moeten! Wieden!'

'Ach, dat onkruid wacht wel,' zei ik. 'Zullen we naar het tuincentrum gaan? Dan mag jij zeggen welke inheemse planten ik moet kopen.'

De dag ging voorbij met rustige bezigheden. We lazen, we dommelden, we gingen naar de videotheek en de supermarkt. In het tuincentrum aan de oever van de Maribyrnong zei ze dat ik grevillea's moest kopen, omdat die 'straks zo mooi zachtroze bloeien'. In mijn voorraadkast vond ze een zakje zaad van Oost-Indische kers; ze ging ermee naar buiten en duwde de zaadjes langs het hele pad aan de voorkant met haar duim in de grond.

Bessie tikte op het keukenraam en zei dat ze zin had in yoghurt met nootjes.

'Morgenmiddag doe ik mee aan een flamencoshow,' riep ze. 'Op een tonéél!'

Ik opende de achterdeur op een kiertje en gaf haar het gevraagde eten, dat ze op de veranda ging zitten verorberen; over haar schouder glimlachte ze naar ons door het glas. Daarna rende ze naar de opening in de schutting; het lege bakje en de lepel liet ze achter op de deurmat.

Voor het eten maakte Nicola twee onovertroffen gin-tonics, die we voor de tv opdronken om ons te wapenen tegen het wereldnieuws. Later keken we naar de dvd die ze had gekozen: *Million Dollar Baby*. We genoten van het boksende meisje dat met geheven vuisten uit haar hoek sprong: *Berg je!* In mijn hart vond ik het einde sentimenteel, maar Nicola moest erom huilen, en we prezen beiden Hilary Swank de hemel in. Zo was het vroeger ook tussen ons. De sfeer was ontspannen.

Ze nam de morfine in volgens de aanwijzingen op de verpakking. Doordat ze geen vitamine C had gekregen deed de pijnstiller wonderen, zodat de nacht omvloog.

Op zondagochtend belde mijn vriendin Peggy, die Nicola oppervlakkig kende, en vroeg of we iets kwamen drinken.

'Wat aardig van haar,' zei Nicola. 'Ik dacht dat jullie weer onenigheid hadden.'

'O, zo gaat dat nu eenmaal bij ons. Het slijt. In december gaan we een paar weken naar Europa.'

'Europa?' Ze zweeg even. 'Fantastisch.'

We reden naar Fitzroy. Toen Peggy, chic en strak gekapt, de voordeur opendeed, danste Nicola naar binnen, regelrecht naar de keuken; ze lachte overdreven uitbundig, strooide allerbekakst met complimentjes en uitroepen – één grote act om maar te bewijzen dat ze leefde. Het werkte me op de zenuwen. Op het dressoir stond een schaal met walnoten. Ik pakte er een paar en kraakte ze met mijn blote handen. Eerst at ik ze op, maar het kraken schonk zo veel voldoening dat ik ermee doorging, ook toen ik verzadigd was; ik zocht van elke noot de zwakke plek en drukte de harde doppen tegen elkaar tot ze spleten.

Toen Nicola even pauze nam, troonde Peggy ons mee naar de tuin. We gingen onder een baldakijn van witte rozen zitten, die hun blaadjes op het geborduurde tafelkleed lieten dwarrelden. Ze zette ons gastvrij en stijlvol van alles voor: broodjes en cake, koffie en bijzondere theesoorten. Nicola en zij hadden het er zuchtend en wrang lachend over dat de zorg voor hun moeders niet meeviel – formidabele vrouwen van in de negentig en vaak akelig veeleisend. Mijn moeder, klein en treurig, had het opgegeven en was al vijf jaar dood. Ik luisterde alleen maar.

‘En,’ zei Peggy ten slotte, ‘hoe gaat alles daar bij jullie?’

‘Dat zal ik je vertellen!’ begon Nicola. Ze boog zich naar voren met een glimlach die tinkelde van breekbaarheid. ‘Het gaat geweldig. Helen is een uitstekende maar strenge hoofdzuster. De afgelopen dagen moesten we aan morfine zien te komen. Weet je, bij het Theodore Instituut – dat is geweldig, hoor – krijg ik om de dag een bepaalde intraveneuze behandeling met vitamine C.’

Ze zat op haar praatstoel. Geërgerd keek ik omhoog om de rozen eens goed te bestuderen. Een heleboel begonnen er al uit te drogen en te hangen. De tuinschaar lag onder handbereik in de vensterbank. Ik pakte hem en deed zo onopvallend mogelijk een uitval naar de bloemen waar ik makkelijk bij kon.

‘Je krijgt er een behoorlijke tik van,’ vervolgde Nicola, ‘en ik kom wel eens een beetje aangeslagen thuis.’

Onwillekeurig kneep ik mijn lippen samen. Ik maakte knipbewegingen met de schaar en liep de tuin in. Er stond een oude houten ladder tegen een schuurtje, dat was overwoekerd met klimrozen; een op de drie bloemen moest er nodig uit.

'Ik weet natuurlijk wel dat ik er niets aan overhoud. Ik weet dat het alleen maar de vitamine C is die de tumoren aanpakt en uitdrijft. Maar,' zei ze met een vrolijke lach, 'tot mijn immense verbazing, en ik schaam me dat ik zo stuitend egoïstisch ben geweest, had ik absoluut geen flauw idee dat het voor die arme Hel niet om aan te zien was!'

Knarsetandend beklom ik de eerste drie sporten van de ladder om de aanval te openen op de bovenste takken van de roos. *Die arme Hel.* De bloemen vielen in een gestage witte regen van mijn schaar. De klinkerbestrating lag ermee bezaaid.

'Daarom heb ik gisteravond laat gebeld met mijn nichtje Iris, de schat. Ik heb het afgelopen halfjaar bij haar gelogeerd, in Sydney, en ik heb haar gevraagd of zij die rillingen ook zo eng vond, en ze zei: "Eng? Dat is nog zacht uitgedrukt, mens! Het is angstaanjagend! Ik deed het elke keer in m'n broek! Je ziet er dan uit alsof je doodgaat!"' Haar stem sloeg over in een gemaakt lachje.

Ik klikte de tuinschaar met het veiligheidspalletje dicht en daalde af. Nicola schoof een eindje op om plaats voor me te maken op de bank. Peggy schonk mijn kopje nog eens vol en schoof het zonder me aan te kijken naar me toe.

'En dus,' zei Nicola terwijl ze de theeblaadjes onder in haar kopje liet rondzwieren, 'gaan we morgen de palliatieve zorg bellen. Ik weet nu al dat we ze niet nodig zullen hebben, want ik merk gewoon dat de tumoren slinken door de behandeling. Als we tien dagen verder zijn voel ik me weer kiplekker en ben ik aan de beterende hand. Die palliatieve zorg houden we alleen maar achter de hand om Hel het gevoel te geven dat ze er niet helemaal alleen voor staat – mijn ouwe trouwe Hel.'

Het bloed steeg me naar de wangen. Nicola's wenkbrauwen schoten tot haar haargrens omhoog. Ze ontblootte haar tanden en lachte me toe, een melodieus, spottend geluid diep uit haar keel.

'Het zit 'm in de nachten,' zei ik met gesmoorde stem. 'De nachten zijn lang.'

Peggy keek me even aan. Uit haar blik sprak ontsteltenis en medeleven, wat me kwetsbaar maakte. Ik werd overspoeld door zo'n enorme golf vermoeidheid dat ik vreesde van de bank te glijden en languit tussen de afgeknipte rozen te belanden. Tegelijkertijd weerklonk er een rammelende keten van gedachten door mijn hoofd, met een geratel alsof er een anker werd uitgeworpen. De dood is onontkoombaar. Elke poging hem toch te ontlopen getuigt van overmoed. Een mens wordt er krankzinnig van. Goede eigenschappen worden erdoor verteerd. Vriendschap wordt erdoor vergiftigd, liefde wordt een aanfluiting.

Na de lunch ging Nicola thuis rusten, en ik ging met de auto naar de andere kant van de stad, naar Hogar Español, de Spaanse club. Omdat ik mijn dochter en schoonzoon niet wilde lastigvallen en ook geen zin had om straks vol bacillen weer naar huis te gaan, ging ik achterin zitten, bij de deur. De Spaanse families aan de tafeltjes gingen luidruchtig en opgewekt door met praten en drinken, ook toen de oude mannen met hun gitaar op de knie al tokkelden en de oude vrouwen – hun geverfde haar opgestoken met kammen en bloemen erin – fanatiek in hun handen klapten. Op het halfdonkere toneel stapten Bessie en haar dansvriendinnetjes in een gesloten front naar voren – ruggen kaarsrecht, schouders naar achteren en borst vooruit. Ze gooiden hun armen omhoog, maakten met polsen en vingers snelle draaibewegingen omhoog en omlaag. Begeleid door de rauwe kreten van de zangers stampten ze met hun harde hakken op de grond en zwiepten ze de wijde, vuurrode rokken met ruches van links naar rechts. Opeens rolden de tranen me over de wangen en ik sloeg mijn handen voor mijn gezicht.

Voordat Nicola maandagochtend naar de kliniek kon gaan, belde ik met het Mercy, de afdeling palliatieve zorg. De vrouw die opnam klonk rustig en vriendelijk. Ik stortte er bijna van in, net als van Peggy's meelevende blik onder de klimrozen. Hakkelend gaf ik een samenvatting van onze situatie.

'En mag ik vragen,' zei ze, 'welke diagnose er gesteld is?'

Ik liep met de draadloze telefoon naar het fornuis, waar

Nicola net een ei in een pannetje kokend water liet glijden.

'Ik heb hier een mevrouw van de palliatieve zorg,' zei ik. 'Ze moet weten welke diagnose er eigenlijk gesteld is.'

Even bleef Nicola met haar rug naar me toe staan, toen draaide ze zich om, pakte de telefoon en stak beleefd en efficiënt van wal; ze deed hetzelfde relaas dat ik haar die eerste avond in de kliniek aan dokter Tuckey had horen doen. Ik liep de veranda af, dwaalde door de tuin en inspecteerde de tuinbonen en kruiden. Ze zeggen immers dat de lucht in de buurt van planten heilzame eigenschappen bezit? Ik ging tussen de groene ranken staan en ademde even diep in en uit. Er hingen nog lakens en kleren van de vorige dag aan de lijn. Ik haalde ze eraf en gooide ze over mijn schouder. De stem in de keuken viel stil. Toen ik over de drempel stapte werd ik getroffen door Nicola's withete blik.

'Ze wilde aanstaande zaterdag komen,' grauwde ze. 'Voor een intakegesprek.' Ze kwakte de telefoon op de kookplaat neer. 'O, kijk nou. Het ei is kapot, verdomme. Daar heb ik toch zó'n hekel aan!'

Er borrelde iets gewelddadigs in me op. Het kostte me grote moeite om met neergeslagen ogen de keuken uit te lopen.

ꝏ

Tussen de middag belde Nicola vanuit de kliniek. Ze was vrolijk en hartelijk. Wat er nu toch gebeurd was! Professor Theodore was terug uit China. Een aardige man! En hij had een geweldig idee: na de vitamine C-behandeling moest ze daar voortaan de hele middag in een kamertje blijven liggen, om te zien of ze dan ook die koude rillingen kreeg. Dan kon hij ze 'monitoren'. Dat niet alleen, hij had ook geopperd dat ze eens een koffieklysma moest proberen. Volgens hem werd ze dan minder afhankelijk van de morfine. Voordat ze straks aan de vitamine C ging zou ze nog even naar buiten wippen om biologische koffie te kopen. Wist ik waar die in de stad te krijgen was?

Bestond er niet een machinepistool dat uzi heette?

'Probeer het maar bij de David Jones' Food Hall,' zei ik.

'Bedankt, liefje. Doe geen moeite en kook maar niet vanavond, want ik ben niet voor achten thuis. Er is een lezing die wel twee uur duurt, en ik kan niet wegblijven... Dááág.'

Ik ging op het achtertrapje zitten en worstelde met ontzettend zwartgallige, sombere twijfels. Ik wilde niet bekrompen zijn. Hoe kon ik me hiervan losmaken? Wel helpen, maar met enige afstand? Ik belde mijn gelovige zus Lucy, de oud-verpleegster, en maakte een afspraak met haar: om zes uur in de Waiters' Club.

ꝏ

Die middag belde er een vrouw van de palliatieve zorg van het Mercy. Nee, ze waren er niet alleen voor kankerpatiënten of de stervenden. Hun organisatie was onderdeel van de gratis wijkverpleging. Ze had aangeboden om zaterdagochtend langs te komen en met ons beiden kennis te maken, maar kennelijk had Nicola dat niet zien zitten. Zij heette Carmel, en ja hoor, ze had best even tijd voor me.

Ik ratelde de beknopte samenvatting van de situatie af. Toen ik was uitgesproken zweeg ze even tactvol, om daarna pas te reageren. De westerse geneeskunde, zei ze, gooide meestal de handdoek in de ring en erkende het wanneer ze niets meer te bieden had, maar instellingen zoals het Theodore Instituut bonden de mensen tot het allerlaatst aan zich met vage hoop.

*Tot het allerlaatst.*

'Is uw vriendin gelovig?'

Ik zweeg.

Toen mijn ex me vijftien jaar geleden aan Nicola had voorgesteld, had ik meteen sympathie voor haar opgevat. Alles wat ze deed – de manier waarop ze eten op tafel zette of een sigaret rolde of een kleurige lap om haar hals sloeg – was even zorgeloos en elegant. Als zij in de buurt was daalden er rust en openheid neer. Ik bewonderde de Indiase invloed op de inrichting van haar huis en op haar kleding. In een donker hoekje van de boekenkast zag ik wel een paar foto's van een goeroe met vurige ogen, maar ze had het nooit over hem, en ik stelde geen vragen. Ik ging ervan uit dat ze gepokt en gemazeld was in meditatie en yoga, en dat haar eventuele bijzondere opvattingen zo ingebakken zaten dat ze er niet over hoefde te praten, net zomin als ik repte van mijn kerkelijke zoektochten.

De laatste jaren, kort voordat ze ziek werd, begon ze met boeddhistische termen te strooien. Ze wist hoe je *rinpoche* moest uitspreken en waar je kaartjes kon krijgen wanneer er een beroemde goeroe in de stad was. Ze doorstond een paar keer een tiendaagse vipassana-training in de Blue Mountains; haar verhalen over die stille beproevingen waren altijd bedoeld om me aan het lachen te maken, maar ze kwam er altijd opgetogen van terug. Ze vertelde terloops wel eens iets over weekendcursussen en over nieuwe vrienden met onwaarschijnlijke namen; ook droeg ze opeens dunne koordjes om haar hals, of een snoer dikke, donkerrode houten kralen. Ik vermoedde dus dat ze zich, ondanks haar zorgeloze aard, in stilte uitrustte met datgene wat wij allemaal nodig hebben om te kunnen sterven.

'Het hangt er maar van af,' zei ik ten slotte, 'wat je gelovig noemt.'

'In mijn werk,' zei Carmel, 'heb ik nu eenmaal geleerd dat er mensen zijn die nooit, maar dan ook nooit onder ogen zien dat de dood dichtbij is. Ze blijven tot hun laatste ademtocht vechten.' Ze zweeg even. 'En dat is ook een manier.'

Opnieuw doorstroomde me dat immense gevoel van zwakte. Het drong tot me door dat ik had toegewerkt naar één prachtig ogenblik waarop alles duidelijk werd en Nicola haar fanatieke achterhoedegevecht zou staken; ze zou om zich heen kijken, diep ademhalen en zeggen: 'Goed. Ik ga dood. Ik leg me erbij neer. Nu zal ik de rest van mijn leven waarachtig zijn.'

'En na uw verhaal,' zei de verpleegkundige met haar zachte stem zonder enig verwijt, 'begin ik me af te vragen of u maar niet beter kunt accepteren dat Nicola zo iemand is. Dat zij misschien… in die gemoedstoestand zal sterven.'

Ik kwam de trap uit Parliament Station op en zag Lucy net Little Collins Street in fietsen. Aan haar toerfiets hingen grote, degelijke tassen, en hoewel de zon nog niet onder was had ze al zo'n snel knipperend achterlichtje aangezet dat je op buitenwegen al van heel ver ziet. Toen ik bij haar was, maakte ze net haar fiets met een kettingslot aan een hek vast. Hoewel het pas zes uur was, waren we niet de eerste gasten in de Waiters' Club: boven aan de houten trap was het al gezellig druk. We bestelden gegrilde bot. De serveerster bracht wijn in waterglazen en ik dronk er gretig van. Aan mijn gezicht zag Lucy wel dat ik het gesprek naar me toe zou trekken. Ik begon met de klysma's.

'Als ze last heeft van constipatie,' zei Lucy, 'kan een klysma de boel in beweging krijgen. Dat verlicht de pijn in haar buik misschien.'

'Ja, dat snap ik ook wel. Ik heb helemaal niets tegen klysma's. Maar van koffie? Helpt koffie tegen de pijn? En het schijnt ook nog eens biologische koffie te moeten zijn.'

'Doe me een lol, zeg! Die koffie gaat er van achteren in. Is oploskoffie niet goed genoeg?'

'De baas van de kliniek zei dat ze door die koffieklysma's misschien minder afhankelijk van morfine wordt.'

'Hoezo, afhankelijk? Propt ze zich er dan mee vol? Is ze stoned? Staat ze 's morgens vroeg al bij de dokter op de stoep?'

O, de opluchting om te kunnen roddelen, eens even niet solidair te hoeven zijn.

We dronken wijn, we verslonden de bleke platvis, we werkten een salade en een stapel pannenkoekjes met citroensap weg, en intussen ratelde ik maar door en kreeg Lucy buikpijn van het lachen. Bij de espresso kalmeerden we allebei een beetje, en zij begon alles op een rijtje te zetten.

'Ik kijk er niet van op dat ze je uitlachte om je angst. Dat soort lachen komt agressief over, hè? Jij bent de boodschapper met het slechte nieuws. Ze zou je graag vermoorden omdat je probeert het haar te vertellen. Ze weert het af – alsof ze van de boodschap op zich al ter plekke dood zou neervallen.'

'Waarom komt ze uitgerekend bij mij logeren?'

'Waarschijnlijk omdat ze je vertrouwt. Ik zou het maar als een compliment opvatten.'

'Dat doe ik ook. Maar in Sydney zijn er ook klinieken voor dezelfde idiote behandelingen. Ze heeft daar zat vrienden, mensen die haar veel langer kennen dan ik. Die hebben vast geen moeite met ozon en cupping. En die proberen vast niet de poten onder haar stoel weg te zagen. Ik ben bang dat ze een strenge rotmoeder van me gaat maken.'

Lucy dronk het kleine koffiekopje leeg. 'Toen ik jaren geleden met kankerpatiënten werkte, ging ik wel eens bij een bepaalde man zitten; hij was opgegeven, maar zijn familie deed alsof hij nog beter zou worden. Hij raakte aan me gehecht, denk ik. Ik mocht hem heel graag. We praatten eindeloos over het leven, en ik verheugde me op die gesprekken. Die bewuste dag zat mijn dienst er hoog en breed op, ik was moe, mijn voeten deden zeer, ik had al weg moeten zijn. Op weg naar huis stak ik alleen mijn hoofd even om de hoek, en opeens kwam het hoge woord eruit: "Ik heb niet lang meer, hè?" Ik was er niet op voorbereid, ik gaf een veel te makkelijk antwoord. Hij wendde zich af en zei verveeld en afwijzend: "Als jij het zegt..." Ik was uit mijn doen. Hij had me een kans geboden, en die had ik laten schieten. Ik ging weg met het gevoel dat ik hem had teleurgesteld. Maar thuis bedacht ik dat het er niet toe deed hoe armzalig mijn reactie was geweest, want we hadden een goede verstandhouding. Hij lag alleen op een kamer, en er was in die periode niemand anders in zijn leven die "het" had kunnen zeggen.'

Ze hield haar hoofd scheef en lachte me toe. Ik kon nog net binnenhouden: 'Tjee, wat lijk je nu op mamma.' Dat beschouwden we geen van beiden als een compliment.

'Je bedoelt dat ik het moet zeggen, maar toch ook weer niet?'

'Misschien heeft ze jou daar speciaal voor uitgekozen.' Ze verfrommelde haar papieren servetje en stopte het in een glas. 'Of misschien is ze... bewust of niet... naar jou toe gekomen om te sterven.'

Ik keek haar ontsteld aan. 'Maar ik ga in december op reis. Ik heb mijn ticket al betaald.'

'Geen paniek,' zei Lucy terwijl ze haar platte leren tas opengespte. 'Zulke dingen kun je niet plannen. Fase vier kan járen duren.'

'Maar je denkt toch niet echt dat ze daarvoor gekomen is?'

'Het is erg ver weg voor een behandeling. En zo te horen begint ze aardig vat op je te krijgen. Op zulke momenten wordt een moeder streng. Als er geen eind komt aan haar taak.'

Ze schoot in de lach en wees naar mijn ineengeslagen handen op tafel. De knokkels zagen wit.

'Je doet krampachtig je best,' zei ze, 'om te behouden wat je dierbaar was in deze vriendschap. Maar je wilt er niet aan onderdoor gaan, of je greep op de werkelijkheid verliezen, zoals zij. Het is een soort waanzin. En het komt heel vaak voor.'

We deden samsam, legden papiergeld en muntjes op de plakkerige tafel en klosten de trap af naar de straat.

'Ga je wel eens ter communie?' vroeg ze terwijl ze haar fiets losmaakte van het hek rond de parkeerplaats.

'Nee. Ik kan maar geen kerk vinden waar ik tegen kan. Ik vind het vreselijk als ze zo hoogdravend doen.'

'Ga dan naar de katholieken. Die kunnen er echt wat van.'

We moesten allebei lachen. Er kwam een warme windvlaag tussen de vuilnisbakken vandaan.

'Zeg, Luc, mag ik je iets vragen? Wil je me zegenen?'

Ze bleef even staan; de bandjes van haar helm bungelden naast haar gladde wangen. Ze maakte aanstalten hem af te zetten.

'Hou hem maar op,' zei ik. 'Dan zie je er officieel uit.'

'Soms,' zei ze, 'is er maar één gebed mogelijk. *Lam Gods, U die de zonden der wereld op U genomen hebt...*'

Ik stond voor haar, luisterde en knikte. Ze legde haar hand op mijn voorhoofd. *Wees ons genadig.* Daarna maakte ze een draaiend beweginkje met haar duim – misschien het kruisteken, dat kon ik niet zien.

'Moge de Heer je zegenen en bewaren,' zei ze.

'Dank je.'

'En moge Zijn oog op je rusten.'

Ze gespte haar helm vast, knipte het licht aan, kuste me op beide wangen en fietste in westelijke richting weg.

ER BRANDDE LICHT toen ik de keuken in kwam, en Nicola stond bij het aanrecht iets te eten, met een hand diep in een grote bruinpapieren zak.

'Moet je kijken!'

Ze hield me een handje crèmewitte pitjes voor. 'Abrikozenkernen. Je weet wel, je moet de pitten stukslaan om ze eruit te krijgen en je kunt ze gebruiken als geleermiddel voor jam.'

'Pectine?'

'Laetriel. Dat bestrijdt de tumor, zegt professor Theodore. Ik moet er twintig per dag eten.' Ze bracht haar hand naar haar mond en knabbelde er met haar voortanden een paar naar binnen. 'Proef maar.'

Ik viste een pitje uit de zak, waar zeker twee kilo in zat. Het aroma was eigenaardig: aangenaam, maar ongewoon en met een vage nasmaak, alsof het wel eens giftig kon zijn als je er te veel van binnenkreeg. Ik at er nog een paar. Ze schonk me een kameraadschappelijke glimlach terwijl we daar samen stonden te knabbelen.

'Hoe ging het vandaag?'

'Ze hebben me aan de vitamine C gelegd,' antwoordde ze, 'en ik heb de hele middag liggen wachten op de koude rillingen en het klamme zweet. Geen kik gegeven! Geen vin verroerd! Ik voelde me volslagen belachelijk. Net als wanneer je met je auto naar de garage gaat en de motor dan loopt als een zonnetje.'

We schoten in de lach.

'Heb je nog gevraagd hoe het zit met de pijn?'

Opnieuw wuifde ze mijn vraag weg. 'Hou toch op, Hel. Die mensen zijn de hele dag met kanker bezig. Pijn, daar willen ze niets over horen.'

Ik ging er maar niet op in. Ik moest leren niet op zulke dingen te reageren.

'Kun je je Marj uit Broken Hill nog herinneren?' vroeg ze opgewekt. 'Die kale vrouw met dat zwarte mutsje dat je zo leuk vond? Weet je hoe zij over het Theodore heeft gehoord? Tijdens een seance! Daarom is ze helemaal hierheen gekomen. En volgende week komen er zelfs mensen uit Canada! Voor de therapie!'

Lachend stak ze nog een handje pitten in haar mond. Omdat ik een beetje misselijk van die dingen werd, stopte ik ze terug in de zak. Ik pakte een grote pot met een rood schroefdeksel uit een keukenkastje en deed de pitten erin. Veilig achter helder glas hadden ze een nietszeggende schoonheid, als op een foto in een glossy tijdschrift.

'Morgen is de kliniek gesloten,' zei ze. 'Het is de dag van de Melbourne Cup. Als wij dan eens naar de film gingen?'

ꝏ

Het was een grijze, zachte dag – vredig. De paardenrenbaan lag nog geen kilometer van mijn huis, en omdat de wegen in de week van de Cup 's morgens en 's avonds verstopt zitten, kozen we een film die in South Yarra draaide, aan de overkant van de rivier, en we gingen lunchen in de botanische tuin. De zon brak door, het werd een mooie dag. We kozen een palmboom die een volmaakt ronde schaduw wierp en installeerden ons binnen die cirkel in het gras. Ik stalde onze sandwiches en flesjes water uit. Als ze op de grond zat maakte Nicola altijd een ontspannen indruk: haar heupen zaten soepeler in elkaar dan die van andere mensen. Haar lange benen staken elegant onder haar rok van verschoten hemelsblauwe katoen uit.

'Het valt je zwaar, hè, Helen?' zei ze.

'Zwaarder dan ik had verwacht.'

'Wat is het ergste? Dat ik zo transpireer?'

Nu zag ik mijn kans schoon. 'Nee... Het gevoel dat we elkaar niet vertrouwen.'

Ze draaide abrupt haar hoofd naar me toe. 'Vertrouwen wij elkaar dan niet?'

'Je vindt het vast niet leuk om te horen.'

'Ga door.'

Ze nam een keurig hapje van een sandwich en ging verzitten tot we naast elkaar zaten en dezelfde kant op keken. Het was bevrijdend dat het oogcontact was verbroken, zoals je je tijdens een lange nachtelijke autorit vrij kunt voelen om de waarheid eruit te gooien.

'Ik heb grote twijfels,' zei ik, 'wat die kliniek betreft.'

Ze liet haar blik dwalen over het zachte, verzorgde gazon dat helemaal tot aan het meer omlaagglooide.

'Daar kijk ik eigenlijk niet van op,' zei ze met een lachje.

'Ik had al zo'n idee dat jij er niets van zou moeten hebben. Lieverd, zit er maar niet mee. Je doet je best, dat weet ik.'

'Ja, maar ik krijg van deze behandelingen dezelfde signalen als van die vent in Hunter Valley met z'n koolsap. In mijn ogen zijn het kwakzalvers, ik kan er niets aan doen. Of ze zijn het spoor bijster.'

Ze schudde kalm haar hoofd, lachte, kauwde, bleef maar glimlachen. 'Je hebt me voor die biochemicus behoed, daar ben ik je eeuwig dankbaar voor. Dat was inderdaad een kwakzalver. Maar deze mensen zijn anders. Ik geloof in ze. Hun theorieën zijn degelijk onderbouwd. En ze zijn echt, echt met me begaan.'

'En waar was de grote baas dan die eerste ochtend?' vroeg ik onwillig. 'Hij zei dat je een week eerder moest komen, en toen heeft hij je laten zitten.'

'Dat komt door zijn research, Hel. Hij moet op de hoogte blijven van de internationale ontwikkelingen.'

Chagrijnig dramde ik door. 'En de rest van het stel dan? Dat zijn niet bepaald indrukwekkende figuren. Hoe kun je daar nou vertrouwen in hebben?'

'Maar Helen.' Ze keek me oprecht verbaasd aan. 'Ik móét wel vertrouwen in ze hebben. Ik heb geen keus. Ik moet zorgen dat ik opgeladen blijf en mijn doel niet uit het oog verlies.'

'Dat is voor mij het moeilijkste: opgeladen blijven.'

Ze keek naar het gras. Ik had haar pijn gedaan.

'Maar dat is de enige manier,' zei ze. 'Als ik er niet in blijf geloven is het enige alternatief dat ik ga liggen en zeg: oké, ik geef het op. Ik ga dood. Kanker, kom me maar halen.'

Een droog briesje blies de helling op en speelde door haar haren, zodat haar aandoenlijk dunne nek zichtbaar werd. Ik legde mijn broodje neer en nam haar handen in de mijne.

'Nicola,' zei ik, 'dat zijn twee absolute uitersten.'

'Nou ja, dat dilemma moet ik onder ogen zien.'

Haar stem klonk bijna korzelig. Ze vertikte het me aan te kijken en probeerde haar handen terug trekken, maar ik hield ze vast. Ik kneep erin, ik schudde ze.

'Er moet een middenweg zijn,' zei ik. 'Zullen we die samen zoeken?'

Ze maakte zich los en keek weer uit over het meer.

'Ik kan het niet opgeven,' zei ze. 'Ik geef het ook niet op.'

'Maar is het wel een kwestie van opgeven? Kun je niet overwegen om bij de dag te leven? Net als ze bij de AA doen? Niet zeggen: "Ik ga dood", of: "Ik ga niet dood", maar wel: "Vandaag leef ik"?'

'Jij begrijpt het niet. Voor jou is het anders.'

'Waarom is het voor mij anders?' vroeg ik. 'We zijn immers allemaal hetzelfde voor...' *Voor de dood* of *voor God* had ik willen zeggen, maar dat zou melodramatisch hebben geklonken.

'Jij hebt zoveel gedaan,' zei ze. 'Jij hebt gewerkt. Jij bent getrouwd geweest.'

'Getrouwd?' Ik moest er bijna om lachen. 'Die puinhoop?'

'Jij hebt een gezin gesticht. Ik heb niets van mijn leven gemaakt,' zei ze. 'Kijk maar. Ik ben vijfenzestig. Waar kan ik op terugkijken?'

Haar lippen trilden, maar ze vermande zich.

'Ik heb ontzettend veel geluk gehad,' vervolgde ze. 'Ik heb

een redelijk uiterlijk meegekregen. Een rijke familie. Een paar talenten. Maar ik heb dat allemaal vergooid. Ik heb er niets van gebakken. Ik heb maar wat aangerotzooid. Nooit iets afgemaakt. Als iets mislukte begon ik gewoon aan wat anders. Ik heb mijn geluk verspeeld. Ben er stom mee omgesprongen. Geen wonder dat het me nu tegenzit.'

Ik had haar kunnen overstelpen met protesten en vleierijen, maar ze hield haar rug kaarsrecht en haar handen gevouwen en straalde en profil zo'n waardigheid uit dat het aanmatigend zou zijn geweest haar te willen troosten. Ik bleef dan ook zwijgend naast haar in het gras zitten en keek met haar mee: en het meer, het gazon, de iepen, de overzeilende vlakke wolken en de zomerdag zelf werden voor onze ogen somber en schimmig.

De bioscoop was rustig en leeg, net als wij. Er draaide *Yes* van Sally Potter, met dialogen in jambische vijfvoetige verzen. Het was ons meteen duidelijk dat zo'n film in dit land alleen maar een commerciële flop kon worden. Onze aangeslagen harten waren meteen een en al medeleven, en de film was onze redding. We zuchtten, we huilden. We porden elkaar aan. We proestten het uit met onze hand voor de mond. We wilden Joan Allen zijn, of minstens rondstappen in haar zijdezachte jurkjes en chique Italiaanse truitjes. En we juichten toen de schoonmaakster recht in de camera de slotwoorden van de film sprak: '... eigenlijk, geloof ik,/ Bestaat er geen Nee. Er is alleen Ja.'

'Ach Helen,' zei Nicola terwijl we over Punt Road terugzoefden, 'die film is ons door een of andere god in de schoot geworpen. Ik krijg zin om de regisseur een aardig briefje te schrijven. En vanavond nog trakteer ik mezelf op een koffieklysma.'

ෆ

We wilden net een fles wijn openmaken om lui voor de tv naar het nieuws over de paardenrennen te gaan kijken, toen mijn schoonzoon Mitch en zijn vriend Locky uit Torquay uit mijn schuur opdoken, waar ze zich hadden uitgeleefd door hun zeilplanken te beschilderen. Opeens stonden ze voor de keukendeur: twee lachende surfers met heldere, vrolijke ogen en strohaar.

'Mogen we binnenkomen?' vroeg Mitch timide. 'Mijn verkoudheid is over.'

Nicola had een zwak voor jongemannen, en zij voor haar. Terwijl deze twee hun bierflesjes met een plop openmaakten en zich in een leunstoel installeerden, schonk ze hun goedgunstig een vriendelijk, vragend lachje.

'Als jullie vinden dat het onbespreekbaar is, horen we het wel,' vervolgde Mitch. 'Maar ik vertelde Locky daarnet dat je ziek was, Nicola, en hij vroeg zich af of...'

'Ik ben verkoopadviseur,' zei Locky, 'voor een bedrijf dat, eh...'

Hij zette een tas op de grond en haalde er een paar stroken rubberachtig, zilvergrijs materiaal uit, die hij op de lage tafel neerlegde. Sommige waren rond, andere hadden de vorm van een voet. We keken er beleefd naar.

'Het is de bedoeling,' zei Locky, 'dat ze je immuunsysteem weer in optimale conditie brengen. Zodat alles in je lichaam soepel verloopt.'

Nicola ging verzitten. De lichtsterkte van haar glimlach verflauwde. Mitch wierp haar een nerveuze blik toe. De deur ging open en Bessie kwam binnendansen. Ze was niet meer verkouden, zei ze; wel zat haar blonde haar in strakke vlechtjes, met spelden als een kroontje op haar hoofd bevestigd – het kapsel dat erop duidde dat ze luizen had. Ze ging bij haar vader op schoot zitten en boog zich over de voorwerpen. Het bleef even stil.

'Ik weet dat het vreemd klinkt,' zei Locky. Hij keek Nicola aan en liet zijn oogverblindend witte tanden blikkeren. 'Ik had nooit kunnen dromen dat ik nog eens met een tas vol magneten bij iemand in de woonkamer zou zitten.'

Ik schoot in de lach.

'Magneten!' Nicola fleurde op.

'Ze zijn een afspiegeling van het magnetische veld van de aarde,' zei Locky. 'Ik begrijp niet precies hoe het werkt, maar het werkt wel, ik zweer het. Hebben de dames soms ijsblokjes in de koelkast?'

Ik ging er een voor hem halen, en hij zette het blokje op een van de rondjes. Het ijs begon meteen te smelten: op het grijze rubber vormde zich onnatuurlijk snel een plasje water, dat vervolgens op de tafel liep. Locky viste gauw een papieren zakdoekje uit zijn zak en depte het op.

Bessies mond hing open. 'Je kunt goochelen!'

'Het lijkt wel een tekenfilm,' zei Nicola.

Mitch keek voldaan het kringetje rond. 'Weet je nog dat

ik laatst zo'n last van mijn voeten had, Helen?' vroeg hij. 'Ik heb van die inlegzooltjes in mijn schoenen gedaan, en nu is de pijn helemaal weg.'

'Ze maken er ook matrashoezen van,' zei Locky. 'Daar slapen we thuis op. Ik had vreselijke pijn in mijn rug. Maar dat is nu over. En als ik zo'n matje op de grond laat slingeren, gaan de honden er verdorie altijd breeduit op liggen.'

We begonnen allemaal te lachen en schoven naar het puntje van onze stoel.

'Helpt het ook tegen gewrichtsontsteking?' vroeg ik. 'Mijn grote tenen doen ontzettend zeer.'

Locky gaf me een paar inlegzooltjes, veel te groot voor mij. Ik legde ze op de grond, trok mijn degelijke rode sandalen uit en zette mijn blote voeten op het rubberachtige spul. Het voelde eigenaardig maar prettig: glad en zacht, maar toch stevig. Ik wachtte af of er iets gebeurde. Mijn blik bleef rusten op een poot van de keukentafel. Locky vertelde verder – ontspannen en in vakjargon – hoe voortreffelijk de speciale zilverfilter van het bedrijf wel niet was; het water dat erdoorheen kwam, zei hij, was bijzonder zacht. Zijn kinderen dronken het de hele dag door, konden er niet genoeg van krijgen, terwijl ze vroeger alleen verplicht glaasjes kraanwater tot zich namen. Zijn stem vervaagde tot een aangenaam, rustgevend element in de geluiden om me heen. Ik was klaarwakker, allerminst slaperig, maar toen hij de voordeur uit stormde om een monster van de filter uit de kofferbak van zijn auto te halen, moest ik me dwingen mijn gedachten weer tot het hier en nu te bepalen.

Nicola zat intussen in elkaar gedoken in de witte leunstoel

te luisteren naar Lockys verhalen over ideale hydratering en pijnverdrijving; haar wenkbrauwen waren opgetrokken, haar glimlachende mond stond een beetje open. Ik moest er bijna om lachen: ze zag er zo aanbiddelijk onschuldig en argeloos uit, net een edelvrouwe bij een groep minstrelen.

Toen Locky opstapte hadden we toegezegd niet alleen een grote waterfilter aan te schaffen, maar ook allerlei matjes – veertien dagen gratis op proef, zonder enige verplichtingen. Nicola, die zich had laten bekeren, verklaarde dat die filter – vijfhonderd dollar – een cadeau voor mij was. Ik had contant betaald voor een paar van de toverzooltjes, die ik bijknipte zodat ze in mijn sandalen pasten. De achterdeur viel met een klik dicht achter Bessie en de mannen, en toen ik opkeek zag ik tot mijn verbazing dat het buiten al donker was. Ze hadden ons twee uur beziggehouden.

Toevallig was ik handig in het zetten van een simpel en schoon klysma; ik had namelijk op het eiland Koh Samui eens een darmspoelingenkuur ondergaan. Talloze malen hadden we ons slap gelachen om mijn verhalen over die week, maar dat was Nicola nu kennelijk vergeten, en dit leek me niet het juiste moment om mijn deskundigheid op te dringen. Maar toen ik na het eten zag dat ze in de keuken met de biologische koffie in de weer ging, kon ik het niet laten: 'Zal ik je helpen? Ik kan...'

Ze schudde haar hoofd, te druk bezig om te luisteren.

'Toch vraag ik me af,' zei ik, terwijl ze met de spullen naar de badkamer vertrok, 'of het wel zo'n goed idee is om vlak voor het slapengaan zo'n koffieklysma te zetten. Ben je niet bang dat de cafeïne je uit de slaap houdt?'

'Waarom zou dat in vredesnaam gebeuren, lieverd?' vroeg ze vol bravoure. 'Ik drínk het toch niet, ik spuit het er alleen van achteren in.'

Ik trok me terug. Door de dichte deur heen hoorde ik gestommel en gespetter, daarna stilte, gevolgd door een reeks verwensingen. Ik ging naar mijn kamer en kroop in bed.

Mijn mobiel ging. Het was mijn vriendin Rosalba in Newcastle. Tien minuten lang schepten we op over onze kleinkinderen; om de beurt luisterden we heel aandachtig. Ik vertelde dat ik niet zoveel tijd aan de kinderen had besteed als anders, omdat ik een vriendin te logeren had die kanker in een vergevorderd stadium had.

'Wat vreselijk voor haar,' zei Rosalba. 'Maar ze woont in Sydney, zei je? Waarom logeert ze dan bij jou?'

Ik vertelde van de kliniek en de behandelmethoden. Ze klakte met haar tong. 'Drie weken. Dat is lang. En haar familie?'

Dat was een eenvoudige vraag, maar ik aarzelde.

'Is ze niet getrouwd?'

'Nee.'

'Geen kinderen?'

'Nee. Ik heb nooit iemand van haar familie ontmoet. Ze heeft een paar nichtjes met wie ze goed kan opschieten. Een paar dierbare achterneven. Een hoogbejaarde moeder. En een oudere zus die ergens buiten woont en zo haar eigen problemen heeft.'

Er bereikte me een zweem van stil onbegrip, afkeuring zelfs. Ik zei wat me voor de mond kwam.

'Ach, je zou haar een bohemienne kunnen noemen.'

'Een bohemienne? Wat moet ik me daarbij voorstellen?'

'Iemand die in vrijheid gelooft. Die denkt dat het belangrijk is om kunstenaar te zijn. Dat soort dingen. Geen belangstelling voor het huwelijk of het gezin in de conventionele zin.'

'Vrijheid?' zei Rosalba. 'Pff. Als je ziek bent, ga je naar je familie.'

Rond middernacht ging ik naar de wc; in het bad stond een emmer met kleddernatte handdoeken, en het rook in huis naar een espressobar.

Vroeg in de ochtend kwam Nicola de keuken in stommelen, afgetobd en wankel. Ze had nauwelijks een oog dichtgedaan. Zonder commentaar voorzag ik haar van ontbijt. Even later vertoonde ze weer haar starre glimlach en grote ogen. Voortaan, zei ze, zou ze zo'n klysma alleen nog maar 's morgens nemen.

De volgende ochtend kwam ze verfomfaaid en geïrriteerd de badkamer uit.

'Ik denk dat ik het maar niet meer doe. Het is zo lastig om je sluitspier dicht te houden, op te staan en tijdig op de wc te belanden om het te laten lopen... Ik ben het zat om al die handdoeken te wassen. Was er maar een manier om mijn billen boven de wc te houden, dan kon ik het allemaal wat relaxter doen.'

'Die is er wel,' zei ik met een heel klein stemmetje. 'Dat probeerde ik je dinsdag te vertellen, maar je wilde het niet horen.'

Ze verstrakte, keek me met een flauw lachje beschaamd aan. Het was een loze overwinning.

ꝏ

Die namiddag kwam ze in opperbeste stemming terug van de kliniek en meldde dat ze een nieuwe dokter had gesproken. 'Een échte dokter.'

'Hoe weet je dat?'

'O,' zei ze, 'dat zag ik zo. Dat de pijn erger is, komt volgens hem beslist doordat mijn afweer tegen de kanker door de behandeling wordt opgepept.'

Ik luisterde, knikte en glimlachte omdat zij tevreden was. Maar ik vroeg me af wat hij werkelijk tegen haar had gezegd, en in welke bewoordingen, want 'opgepept' leek me eerder een van haar eigen uitdrukkingen, afkomstig uit hetzelfde kakkineuze, ouderwetse vocabulaire als 'vooruit maar', 'denderend', 'mijn nichtje, de schát' en 'zo'n énig hotelletje in South Yarra'.

ꝏ

De lage dosis morfine begon haar greep te verliezen. Die nacht had ze voortdurend pijn, vooral in haar nek en schouder. Ze kwam met een onuitputtelijke stroom blijmoedige verklaringen: ze had een spiertje verrekt bij het omdraaien in bed; haar dikke flanellen nachthemd was in de was en haar schouder was koud geworden van de wind door het raam. Als ze zo ratelde was ik bang dat mijn hoofd zou barsten.

Maar we ploeterden voort. Ondanks alles sliepen we nog een beetje; ondanks alles werd het weer licht.

OP VRIJDAGOCHTEND VERTROK Nicola naar de kliniek; ze zag wit van vermoeidheid maar was opgewekt en opgewonden: Iris – haar nichtje, de schát – en haar vriend Gab kwamen die avond per vliegtuig uit Sydney en zouden tot zondagavond bij ons logeren. Ik fietste naar de winkels en maakte een vegetarische maaltijd klaar; daarna haalde ik de tweepersoons futon tevoorschijn en legde die op de lattenbodem in de kamer met de boekenkast – leeslamp, bloem in een fles, opgevouwen handdoeken.

Tegen vijf uur stopte er een taxi bij het hekje. Een lange, magere jonge vrouw – eindeloze benen, wijde katoenen kleren – stapte uit, gevolgd door een al even magere, lange jongeman; ze hadden broer en zus kunnen zijn, alleen had zij een dikke bos weerbarstige bruine krullen en hij sluik zwart haar. Even stonden ze met hun bagage aarzelend onder de platanen, speurend naar het huisnummer. Toen ik hun verlegen, schrandere gezichten zag, werden de vermoeidheid en angst me te machtig. Ik rende het tuinpad af en wierp me in de armen van de schat van een nicht.

Ik pakte de Absolut uit de vriezer, waarna we met ons drieën aan de wodka gingen en probeerden een plan te maken voordat Nicola terugkwam.

‘Laatst op een avond,’ zei Iris, ‘toen ze me belde over die

koude rillingen, heb ik gezegd dat ze zou moeten overwegen om al na twee in plaats van na drie weken terug te komen naar Sydney. Heeft ze het met jou daarover gehad?'

'Met geen woord,' antwoordde ik.

'Het idee dat ze drie weken bij jou ging logeren beviel me niks. Ze heeft er geen flauwe notie van hoeveel ze van haar omgeving vergt. En dan die mateloos irritante opgewektheid... Na vierentwintig uur ga je al door het lint. Maar als je haar rechtstreeks ergens op aanspreekt, wordt ze furieus. En toen dacht ik: als ik nou stiekem een ticket voor haar boek en het idee via de telefoon voorzichtig opper, dan slaat het misschien aan en is ze zondag zover dat ze met Gab en mij mee terug wil. Maar geen sprake van. Ze zei telkens weer: "Ik weet dat ik beter word, en als ik die behandeling niet afmaak, ga ik dood."'

We trokken een grimas naar elkaar.

'Wat is het precies voor therapie?' wilde Gab weten.

Ik probeerde hem in neutrale bewoordingen op de hoogte te brengen, rekening houdend met wat zij volgens mij van alternatieve geneeskunde vonden. Maar toen ik bij de ozonsauna met de elektrodes was, konden ze hun gezicht niet meer in de plooi houden. We wrongen ons in kronkels en durfden elkaar niet aan te kijken. Tijdens onze onbedaarlijke lachbui ging de achterdeur open en stapte Bessie binnen.

'Hallo jongedame,' zei Iris, met haar mouw haar ogen drogend. 'Wie ben jij? Kom eens hier.'

Bessie beende regelrecht naar de bank en wurmde zich tussen de bezoekers in. Ze draaide soepel haar hoofd en bekeek hen kritisch van top tot teen om te zien wat ze aanhadden.

Iris legde haar arm om Bessies schouders en wij hervatten vrolijk ons gesprek.

De telefoon ging. Bessie vloog erop af. Ze luisterde met een verbaasde blik op haar gezicht, waarna ze mij het toestel aanreikte. Eerst bleef het stil, toen klonk er een schor gekreun, een moeizaam stemgeluid.

'Met wie? Nicola? Ben jij het?'

Ze bracht hees een paar onsamenhangende woorden uit.

'Waar ben je?'

Ze was nog in het Theodore. Ze voelde zich beroerd. Ze wist niet hoe ze terug moest komen. Ik was al opgesprongen en pakte mijn autosleutels, toen Colette aan de lijn kwam.

'Helen?' kweelde ze. 'Hallo! Heb je een leuke dag gehad? Nicky heeft nogal heftig gereageerd op de vitamine C. Ze is een béétje slapjes, maar maak je geen zorgen, alles gaat prima. De kwestie is alleen dat we eigenlijk willen sluiten.'

Er knapte iets vanbinnen. 'Hoe lang voelt ze zich al zo?' schreeuwde ik. 'Waarom heb je me niet eerder gebeld? Het is spitsuur. Het verkeer zit muurvast. Het kost me zeker een uur om naar het centrum te komen!'

Vanaf de bank keken drie gezichten me strak aan.

'Rustig nou maar, Helen,' zei Colette. 'Nicky zit naast me. En ze lacht. Ik moet tegen je zeggen dat het heel goed met haar gaat!'

'Wat is dat voor tent daar bij jullie?' zei ik fel. 'Je denkt toch zeker niet dat je haar in die toestand zomaar in een taxi kunt zetten? Hoe krijgen we haar thuis? Jij mag het zeggen!'

Er werd op gedempte toon ruggespraak gepleegd.

'Goed nieuws!' riep Colette uit. 'Professor Theodore

woont bij jou in de buurt. Hij brengt haar wel thuis. Over een halfuurtje zijn ze er.'

Ik kwakte de telefoon neer. 'Hij komt hierheen, de zak die de kliniek runt. Hij brengt haar thuis, met de auto.'

'Wie? Wie? Wie?' vroeg Bessie.

'We zorgen dat we er klaar voor zijn,' zei Gab. 'Maak jij Nicola's kamer vast in orde, dan ruimen wij hier wel op.'

Ik pakte Bessie bij de hand en sleurde mijn protesterende kleindochter naar de opening in de schutting. 'Misschien moet ik straks heel erg onbeleefd tegen iemand doen,' zei ik. 'En dat mag jij niet horen.'

Daarna rende ik naar mijn werkkamer en belde een kennis, die juriste was. Ze zat nog op kantoor.

'Moet je horen. Ik wil een klacht indienen over een dubieuze alternatieve kliniek. Bij welke overheidsinstelling moet ik dan zijn?'

'Bij de Gezondheidsraad, denk ik,' antwoordde ze rustig. 'Wat is er aan de hand?'

'Ik moet dreigende geluiden maken, maar het mogen geen loze kreten zijn.'

Er verstreek een halfuur, een uur. Keer op keer rende ik de voordeur uit en keek links en rechts de straat af. Ze waren nog nergens te bekennen. Tegen zevenen was ik in paniek. Ik zocht het kaartje van de kliniek op en belde het nummer. Het antwoordapparaat stond al aan: ze waren tot maandag gesloten. Onderaan in een hoekje stond een mobiel nummer. Ik belde het. Een man nam op.

'Ik ben op zoek naar mijn vriendin Nicola, een patiënte bij het Theodore Instituut,' zei ik. 'Iemand brengt haar met de auto naar huis, maar ik maak me ongerust over haar. Hebt u enig idee waar ze is?'

'Jazeker, Nicola zit naast me,' antwoordde de man. 'We rijden net Mount Alexander Road in.'

'Hoe gaat het met haar?'

'Prima. Met een minuut of tien zijn we er.'

'Bent u professor Theodore?'

'Inderdaad.'

'Ik moet u dringend spreken,' zei ik, 'over Nicola's behandeling.'

'Dat kan,' zei hij. 'Zegt u maar meteen wat u op uw hart hebt.'

Ik hoorde verkeersgeraas. 'Ik ben niet van plan daar met u over te praten via een mobiele telefoon, terwijl u met mijn vriendin in het verkeer zit.'

'Het is helaas uw laatste kans,' antwoordde hij liefjes. 'Morgenochtend vroeg vertrek ik naar het buitenland.'

Wat? Ging hij er alweer vandoor? Mijn handen begonnen te trillen.

'Als u hier straks bent,' zei ik, 'kunt u maar beter even binnenkomen.'

De verbinding werd verbroken.

Iris kwam de badkamer uit, met een frisse citroengeur om zich heen. Haar wilde krullen werden met een kleurig doekje in het gareel gehouden. Ze lachte me toe en begon de kussens van de bank op te schudden. Gab kwam de kamer binnen; hij had een schoon T-shirt aangetrokken.

'Zo, Helen.' Hij had donkerbruine, diepliggende ogen. 'Klaar voor de strijd.'

Ik kon wel huilen van dankbaarheid. Ze waren jong, ze waren nuchter en ze stonden aan mijn kant.

Nicola kwam als eerste de hordeur door. Op een afstandje volgde een man met een net pak aan. Ze strompelde hijgend, met uitgestrekte handen en die akelige grijns, de gang door naar haar kamer.

'Water. Glaasje water. En een van die... zo'n...'

'Morfinepil?'

Ze liep regelrecht naar haar bed. Haar knieën begaven het en ze viel zijdelings neer.

De man hield zich aarzelend op bij de voordeur, alsof hij zich zó weer uit de voeten kon maken. Ik rende naar de keuken om water te halen, en terug naar haar kamer. Ze klappertandde, het zweet liep tappelings van haar af. Ik trok haar voorzichtig haar doorweekte kleren en schoenen uit. Ze kreunde van pijn, haar adem stokte, maar terwijl ze het glas water beetpakte om de pil naar binnen te slokken, zag ze toch nog kans haar arme gezicht in die vreselijke, gekwelde beleefheidsglimlach van oor tot oor te plooien.

Ik pakte het glas aan en installeerde haar in de kussens. In het halfdonker keek ze benauwd naar me op, probeerde iets te zeggen.

'Nu ga ik die hufter van katoen geven.' Ik draaide me om en liep naar de deur.

'Hel,' riep ze me schor na. 'Hel, hij heeft me niets misdaan.'

Gab en Iris hadden de professor mee geloodst naar de grote achterkamer en hem in een fauteuil geïnstalleerd. Hij zat achterover, met zijn benen wijd en zijn gespreide handen op de leuningen. We monsterden elkaar door onze oogharen. Ik had me een aantrekkelijke man voorgesteld, een gebruinde globetrotter in een linnen colbertje, maar door zijn strakke pak en instappers had hij meer iets van een vertegenwoordiger of een evangelisator; hij begon kaal te worden, had zijn beste tijd gehad, maar was nog een en al strijdlust.

Iris kwam binnen met een dienblad, dat ze op de lage tafel tussen ons in zette. Getinkel van porselein en glas verbrak de gespannen stilte.

'Ik kan helaas maar heel even blijven,' zei de professor op afstandelijke toon, waarna hij een slokje van zijn thee nam. 'Ik moet morgenochtend vroeg naar een congres in Mexico.'

'Waarom gaat u toch aldoor op reis?' barstte ik los. 'En waarom zei u daarnet over de telefoon dat het prima met Nicola ging? Ze kan niet eens praten, ze heeft pijn, ze is radeloos... Noemt u dat prima?'

Vanuit mijn ooghoek zag ik dat Gab zijn blik neersloeg en naar zijn handen keek. Ik pakte gauw een glas water en dronk het leeg.

'Iedereen die ervaring heeft met deze behandelmethoden,' zei de professor, 'weet dat zulke reacties... tijdelijk zijn.'

'Ik heb er ervaring mee. Ik zit al twee weken met de brokken. Ik wil van u horen waarom u haar zo onmenselijk behandelt.'

Hij keek me strak aan. 'In de ogen van een onervaren buitenstaander hebben veel kankertherapieën iets onmenselijks,' zei hij.

'Dat klopt, maar wat ligt eraan ten grondslag? Zijn er bewijzen dat vitamine C iets uitricht? En waarom is er geen toezicht door geschoold personeel?'

Hij keek verbaasd. 'Ons personeel bezit alle kwalificaties om de behandelingen uit te voeren. Er is zelfs een specialist bij.'

Ik gooide het over een andere boeg en modderde verder. 'Waarom vertelt u de patiënten niet hoe het ervoor staat? Zij denkt dat ze zal genezen. U weet toch zeker wel dat dat niet zo is?'

'Wij bieden onze patiënten geen prognose.' De professor zette zijn kopje op het schoteltje.

'Dat is niet waar,' zei ik. 'Ik heb haar dossier ingekeken. Het stond er met grote vette letters: terminaal. Hoe kunt u iemand zo misleiden? Het is een schande. U moest u schamen.'

Iris boog zich naar voren en legde haar hand op mijn knie. Ik probeerde me te beheersen, maar toen de professor ironisch een wenkbrauw optrok, werd ik driftig.

'Ditmaal komt u er niet zomaar vanaf, want ik ben van plan u aan te geven.'

'En bij wie,' vroeg hij temerig en met zijn hoofd een beetje scheef, 'gaat u me dan wel aangeven?'

Ik gooide mijn armzalige troefkaart op tafel. 'Bij de Gezondheidsraad.'

Hij lachte kort en smalend. 'En eh... wát gaat u dan precies "aangeven", als ik vragen mag?'

In mijn gemoedstoestand, giftig en stikkend van woede, had niemand iets aan me. Met gloeiende wangen leunde ik achterover.

Gab haalde diep adem. 'Het zit zo, professor Theodore,' zei hij op de hem eigen zachtmoedige, redelijke toon. 'Iris en ik zijn zeker niet tegen alternatieve therapieën. Maar als we zien hoe Nicola eraan toe is als ze thuiskomt, maken we ons wel zorgen. Bovendien zouden we het op prijs stellen als u ons iets zou kunnen vertellen over de wetenschappelijke basis voor de behandelingen die uw kliniek aanbiedt, met name die vitamine C-therapie. We willen daar graag eens in duiken, er het een en ander over lezen op internet. Kunt u ons een paar aanknopingspunten geven?'

Toen de professor omstandig over instanties en deskundigen begon, stond ik op en beende over de achterveranda de tuin in. Ik liep voorzichtig tussen de groentebedden door en keek door de opening in de schutting. Er was niemand in de tuin van het buurhuis. Ze zaten zeker binnen te eten. Op het dorre gras slingerden allerlei spullen van de kinderen. Op het springvlak van de trampoline lag een roze balletschoentje. Aan een tak van de vijgenboom bungelde de schommel. Een van de cavia's trippelde over het asfalt bij de barbecue; er stak een lange grasspriet uit zijn bek. Somber keek ik naar zijn kraaloogjes, zijn dikke nek en ronde schouders. Waar dienden cavia's eigenlijk voor? Het waren maar pluizige balletjes. In Peru werden ze gebraden en opgegeten, maar hier hadden ze iets prehistorisch, vergeten door de evolutie; en dan die zinloze bedrijvigheid: eeuwig en altijd neurotisch aan het knabbelen, kauwen, scharrelen en paren. Wat een verspilling van ruimte en energie.

Wat mankeerde me toch? Hoe kwam het dat ik een hekel had aan een beestje dat in een hoekje van een tuin zijn onbeduidende leventje leidde en niemand kwaad deed?

'Wat! Hond en paard en ratten hebben leven,/ En gij geen ademtocht?'

ꝏ

Ik sloop de keuken weer in net toen de professor de gang uit liep. Ik haalde hem in op het moment dat hij langs de gesloten deur van Nicola's kamer kwam. Daar wendde hij zich naar me toe en vroeg: 'Wilt u misschien even gaan vragen of ze me nog wil spreken voordat ik wegga?' Hoewel het donker was in de gang kon ik zijn gezichtsuitdrukking zien: hij suggereerde triomfantelijk dat ik tekort was geschoten. Ik opende de deur en ging op mijn tenen naar binnen.

Ze was wakker maar suf, en ze zag verschrikkelijk bleek.

'Professor Theodore gaat nu weg. Wil je dat hij nog even bij je komt kijken?'

'Het gaat prima,' mompelde ze met zwakke stem. 'Zeg maar dat het prima gaat. En Hel... Wil je hem bedanken? Zeg maar: heel hartelijk bedankt.'

Op de een of andere manier zag ik kans de kamer uit te komen. Hij stond te wachten, met zijn gezicht in een beroepsmatig bezorgde plooi. Ik herhaalde wat Nicola gezegd had. Hij knikte en liep met grote passen naar zijn auto. Terwijl hij het tuinhekje achter zich sloot wierp hij me nog een laatste opmerking toe: 'Lekker weertje, hè, deze week?'

NICOLA WAS IN slaap gevallen – tenminste, dat namen we aan, want ze liet zich niet zien. Iris en ik lagen in pyjama op de bank, dronken mineraalwater, knipten en lakten onze teennagels en keken met een half oog tv, terwijl Gab het internet afstruinde. Tegen elven kwam hij weer tevoorschijn. Hij was zo iemand die zich zo kon uitrekken dat zijn wervelkolom van boven tot onder knakte.

'Ik kan nergens iets vinden waaruit blijkt dat die vitamine C echt iets doet,' zei hij. 'In de jaren zestig is er veel ophef over gemaakt. Maar ze hebben er goede, gerandomiseerde onderzoeken op losgelaten. Dubbelblind, placebo-gecontroleerd. En daarna is het een beetje ingezakt. Theodore had het over een artikel dat volgens hem van belang was, van een zekere Webster.'

'Een artikel?' zei Iris. 'Wat... Eentje maar?'

'Ik heb de bewuste man wel gevonden, maar de tijdschriften die melding maken van zijn onderzoek zijn allemaal superalternatief. Van sommige bladen schijnt hij zelfs eigenaar te zijn. Maar ik ben wel iets wijzer geworden over Theodore... Hij is dierenarts.'

Hij liet zich op de bank ploffen en legde zijn hoofd in Iris' schoot.

'Hij noemt zich "wetenschappelijk onderzoeker",' vervolgde hij.

Daar lagen we, in een zinderende stilte.

'Ik heb nog eens nagedacht,' zei Iris, 'over waarom Helen zo boos werd.'

O god. Nu moest ik me verantwoorden. Ik kwam overeind. 'Het spijt me vreselijk dat ik zo uit mijn slof geschoten ben. Dat is mijn slechtste eigenschap, die boosheid. Boosheid is mijn standaardinstelling.'

Gab lachte gesmoord en keek op naar Iris, die rode wangen had gekregen. Ze keek over haar schouder naar de gangdeur en dempte haar stem.

'Begrijp me goed,' zei ze, 'ik hou erg veel van Nicola. Ze is enorm belangrijk voor me, al vanaf dat ik klein was. Maar ik ben nog nooit zo boos geweest als toen ze bij me logeerde. Ik was echt bang dat ik haar zou vermoorden, om de kanker de moeite te besparen.'

'Ik begreep wel dat de logeerpartij al te lang had geduurd,' zei ik. 'Ik heb er veel tijd in gestoken om diplomatieke mailtjes op te stellen: "Zou het niet verstandig zijn om een flatje te huren in Elizabeth Bay? Zodat je niet aldoor op Iris' lip zit?" En dan antwoordde ze op dat arrogante toontje: "Lieverd, Iris is dól op me! Ze vindt het héérlijk dat ik er ben!"'

We lachten allemaal wrang.

'Ze is er al sinds april,' zei Iris. 'En ze maakt nog geen aanstalten om te vertrekken. Melbourne is een korte vakantie. Bij mij in de gang staat nog een hele berg spullen van haar.'

'Het is maar een tweekamerflatje,' zei Gab zonder enige wrok. 'Iris heeft Nicola ons bed gegeven. Wij slapen al die tijd al op de grond in de woonkamer.'

'Weet je hoe het volgens mij zit?' zei Iris. 'Nicola vertikt het om akelige dingen onder ogen te zien. Maar die gaan niet zomaar weg. Dat kan niet, want ze zijn er nu eenmaal. En dus moet iemand anders ze als het ware meebeleven. De narigheid hangt om haar heen, als statische elektriciteit. Toen ze vanavond binnenkwam voelde ik het meteen. Het was net of ik opeens koorts kreeg. Mijn hart begon te bonken.'

Ik keek haar strak aan. 'Dus het ligt niet alleen aan mij?'

'Absoluut niet. Ik weet precies hoe je je voelt. Het is verschrikkelijk. Het is of je een injectie met waanzin hebt gekregen.'

'Bij mij,' vertelde ik, 'begint de rug van mijn handen te jeuken.'

'Ze heeft ons in de rol van onheilsstichters geduwd, en op de een of andere manier hebben wij dat laten gebeuren. Ze zeilt maar rond met die afschuwelijke glimlach op haar gezicht, roept dat ze in de loop van de volgende week beter is, en intussen halen wij een sleepnet over de zeebodem om alle narigheid en woede die zij overboord gezet heeft te verzamelen.'

'Kan dat?' vroeg Gab, en hij steunde op zijn ellebogen.

'Weet je nog, Gab?' zei Iris, 'van de eerste keer dat ze die vitamine C had gekregen? Ze was niet aanspreekbaar, net als vanavond, maar ze hadden haar de deur uit gezet en ze moest zelf naar huis rijden. In het spitsuur, over de Harbour Bridge. Niet te geloven. Ik was zo boos, ik ging over de rooie. Het liefst was ik linea recta naar die kliniek gegaan om er een handgranaat door de ruit te gooien. Maar de volgende ochtend was ze er zo laconiek over dat ik het idee kreeg dat ik had overdreven. Ze deed neerbuigend. Ik voelde me ontzettend stom.'

'Het is niet goed voor je zelfvertrouwen,' zei Gab.

'Dat doet ze hier precies zo,' zei ik. 'Ze lacht me bijna uit.'

Ze keken beiden naar me. Iris' lippen begonnen te trillen.

'Sinds ze hier is heb ik nog geen nacht doorgeslapen,' zei ik. 'Ik doe de boodschappen, maak het eten klaar, hou de boel schoon. Ik vang vervelende telefoontjes voor haar op. Ik ben dienstbode. En wasvrouw. Ik zeul met die verrekte matras van haar en zet hem in de zon. En dat is allemaal prima, echt waar, ik wil álles voor haar doen. Maar vorige week zei ze heel nadrukkelijk dat ze "geen verpleegster nodig heeft".'

We moesten ons gezicht in de kussens duwen om ons lachen te smoren. Gab werd algauw weer ernstig, maar Iris en ik kregen de slappe lach, waar geen eind aan kwam. Hij wachtte geduldig, met zijn hand in haar nek, en keek toe hoe wij kreunend naar adem snakten.

Tot dan toe had ik gedacht dat droefheid van alle emoties de vermoeiendste was. Nu merkte ik dat boosheid het allervermoeiendst is. De hele nacht lag ik opgefokt in bed en staarde ziedend van woede het donker in. Telkens als ik even indommelde, kwam de professor met zijn waterige oogjes en hoogrode kleur binnengeslopen; grijnzend als een uitgetreden priester stond hij dan bij mijn bed.

Ten slotte gleed de ochtend tussen de jaloezieën door. Ik ging naar de keuken, zette theewater op en sloeg de krant open. Nicola kwam de gang door geschuifeld. Hoofd geheven, wenkbrauwen opgetrokken, de brede glimlach opgeplakt. Ze begroette me zangerig.

'Goede móóórgen, lieve vriendin van me!'

Ik draaide me om naar het aanrecht. 'Hou je mond, Nicola,' zei ik half binnensmonds. 'Ik kan je niet eens aankijken, zo nijdig ben ik.'

'Oei-oei!' zei ze zangerig met een gespeeld meisjesachtig hoog stemmetje.

'En spaar me dat kinderachtige oei-oei. Hoe durf je!' Onder mijn pyjamajasje brak het zweet me uit. Ik keek naar mijn borst en zag de onaantrekkelijke rode blos opkomen.

Ze bleef in de deuropening staan, in haar nachthemd, als een boerenvrouw met de roodwollen sjaal om zich heen geslagen.

'Wat is er aan de hand, Hel?'

Het vuurrood van haar sjaal omstraalde haar met een onaangename gloed.

'Ik zou graag willen weten,' zei ik, 'wanneer je eindelijk de waarheid eens onder ogen ziet.'

Haar mond viel open. 'Wat bedoel je?'

'Speel nou niet de vermoorde onschuld. Ik verzorg je, ik bedien je op je wenken, maar als puntje bij paaltje komt lach je me uit. Je hebt me uitgelachen!'

'Wanneer dan? Waar héb je het over?'

'Die keer bij Peggy! Je lachte me uit omdat ik 's nachts uit mijn doen was. Je deed het af met een grapje: "mijn ouwe trouwe Hel"!'

'O, dat?' zei ze. 'Een week geleden!' Ze stak haar hand naar me uit, met de palm naar voren, en liet haar kin zakken.

Haar wenkbrauwen vormden een omgekeerde V van neerbuigende bezorgdheid. 'Het spijt me ontzettend, lieverd! Geen idee dat ik je had gekwetst!'

Ze richtte haar hoofd weer op, maakte een streep van haar lippen en daar was hij weer: die glimlach, als een rubberen masker.

Mijn laatste restje zelfbeheersing verdween.

'Haal die grijns van je gezicht! Nu meteen, anders haal ík hem eraf!'

De glimlach verflauwde prompt. Ze deed twee stappen naar achteren en staarde me verbluft aan. 'Waarom ben je zo boos?'

'Dit huis zit tot de nok toe vol boosheid! Voel je dat dan niet? De kamers puilen ervan uit! En veel van die boosheid is waarschijnlijk van jóú!'

Haar mond stond half open, haar wangen waren hol. Ik zag alles door een bloedrood waas. Ik was niet meer te houden.

'Iedereen is boos, iedereen is bang!' schreeuwde ik. 'Jij bent ook boos en bang. Maar je geeft het niet toe. Jij gaat liever door met dit hypocriete gedoe, want dan kun je je rottigheid op mij afschuiven. Ik ben het spuugzat. Ik stik zowat.'

Ze drukte zich tegen de armleuning van de bank.

'Die engerd die je gistermiddag heeft teruggebracht... Zie je dan niet wat voor kwakzalver hij is? Hij belazert je waar je bij staat!'

'Lieverd,' stamelde ze, 'hij helpt me juist. Zij zijn de enigen die me helpen.'

'Kom nou, ze helpen je helemaal niet. Dat leeghoofd van

een Colette, die domme dikzak van een dokter... En dan de beroemde specialist. Enge griezels zijn het. Waarom geven ze je niks tegen de pijn? Het is of ze jouw ellende niet eens zíén!'

'Mijn ellende?' zei ze. 'Helen, er komt daar een vrouw die nog maar één been heeft.'

'En gisteren dan? Als ik geen stennis had getrapt hadden ze je met een taxi afgevoerd! Ze weten wat die vitamine C bij jou aanricht... Waarom werd je niet in de gaten gehouden?'

'Een van de andere patiënten heeft een oogje in het zeil gehouden,' zei Nicola. 'Ze is verpleegkundige. Zij heeft op me gelet.'

'En daar moet jij twee mille per week voor neertellen? Om je door een andere patiënt te laten verzorgen?'

Ze reageerde verontwaardigd. 'Janine is niet zomaar een verpleegster. Ze heeft op de intensive care gewerkt.'

Waar zat al die woede bij mij vanbinnen? Hij stroomde eruit als braaksel.

'Gebruik toch je hersens! Zie je dan niet wat ze doen? Die therapie deugt van geen kanten, Nicola. Het is je reinste afzetterij. Ze kúnnen kanker niet genezen.'

'Wel waar.' Ze stak haar kin naar voren en keek me woedend aan. 'Dat kunnen ze wel.'

'Als jij kunt bewijzen dat intraveneus toegediende vitamine C kanker geneest,' zei ik, 'krijgt die gluiperd van een professor een miljoen dollar van me. Kom met bewijzen!'

'In Grafton woont een man,' zei ze, 'een beeldhouwer. Die is beter geworden.'

'Dat is geen bewijs! Dat is een anekdote.'

'Er is nog veel meer,' zei ze. 'Stapels uitdraaien. Ik heb ze niet bij me, ze liggen thuis.'

'Ja hoor,' zei ik fel, 'en dat is vast allemaal waar, want je hebt het van hun website gehaald.'

Mijn hart bonkte nu zo dat er zwarte vlekjes aan de rand van mijn gezichtsveld dansten. Nicola's gezicht was verslapt en stak grauw af tegen de rode sjaal. Achter haar verscheen Iris in de deuropening. Ze bleef met haar armen over elkaar op de drempel staan, een lichte aanwezigheid in haar flanellen pyjama. Ik werd door schaamte overmand: ik intimideerde Nicola en was op heterdaad betrapt.

'Ik hou dit niet meer vol,' zei ik met bijna overslaande stem. 'Ik kan niet tegen die onoprechtheid. Ik word er ziek van. Stapelgek.'

Nicola liet haar schouders hangen. Haar hals kwam naar voren, ze boog haar hoofd. Iris stapte de keuken in en ging naast Nicola op de leuning van de bank zitten, met een arm om haar schouders. Daarna keek ze naar mij op en zei geluidloos articulerend: 'Doorgaan.'

Beduusd staarde ik haar aan. Ze steunde Nicola, maar knikte me toe. Haar blik was helder en vast, haar mond was een rechte, gedecideerde streep.

Ik haalde een paar keer heel diep adem en dramde door.

'Toen die professor was vertrokken, Nicola,' zei ik, 'was ik het liefst naar je kamer gegaan om te zeggen: word wakker.'

'Ik was wakker,' fluisterde ze.

'Ik had willen zeggen: je gebruikt die verdomde kliniek als afleidingsmanoeuvre.'

Als een oude, vermoeide hond tilde ze haar hoofd op. 'Dat mag je niet zeggen, Hel.'

'Om niet te hoeven doen wat je moet doen.'

Ze stak haar hand op. 'Hou op.'

'Je moet je voorbereiden.'

Ze liet haar hoofd weer hangen. Iris sloeg beide armen om haar heen. Nicola gaf zich over en legde haar hoofd op de schouder van de jonge vrouw. Haar gezicht vertrok, haar lippen waren samengeknepen, de tranen begonnen te vloeien. Toen ik dat zag, ebde al mijn vechtlust weg. Mijn benen voelden breekbaar en slap.

'We zijn je kwijt,' zei ik. 'We missen je. Waar zit je?'

Er ontsnapte haar een luide snik.

'Wat jij doormaakt is voor ons niet om aan te zien,' zei ik. 'Het is een onverdraaglijke gedachte je te moeten verliezen. We willen voor je zorgen. Je bent ons heel dierbaar. Maar jij doet zo ontzettend flink. Je houdt ons op afstand. We kunnen je niet bereiken. Je weert ons af. En je geeft ons het gevoel dat we ons aanstellen als we uit ons doen zijn.'

Ze liet toe dat Iris haar hoofd steunde, terwijl de tranen uit haar ogen stroomden en van haar wangen drupten. Het pyjamajasje van de jonge vrouw was algauw donker van het vocht. Iris hield haar armen om haar heen geslagen; ze zei niets, maar keek telkens naar me op om me toe te knikken.

'Als je zo stoïcijns blijft doen, houden wij het niet vol,' zei ik. 'Het is net een eng masker. We willen dat je het afrukt. We willen jóú weer zien.'

'Die lach is onverdraaglijk, lieverd,' zei Iris zachtjes. 'Je hoeft niet te lachen.'

Nicola huilde maar door in de omhelzing van haar nichtje. Gab verscheen in de deuropening, wierp een blik naar binnen en sloop weg. Maar Iris keek me met haar ernstige gezicht recht aan, terwijl ik achter de ontbijtbar alsmaar het droge vaatdoekje stond te verfrommelen.

Na een poosje droogde Nicola haar tranen. Ze haalde een paar keer bevend adem en maakte zich los uit Iris' armen. Iris gaf haar een schone theedoek; ze bette haar ogen, vouwde hem op en legde hem op de ontbijtbar.

'Maar weet je wat het is?' zei ze schor. 'Ik heb anderen nooit willen lastigvallen met mijn gevoelens.'

We deden er het zwijgen toe.

'Het interesseert niemand of ik droevig of bang ben.'

Nog steeds zeiden we niets.

'Ik heb geleerd,' vervolgde ze, 'om mijn mond te houden. En een vrolijk gezicht op te zetten.'

Ze kwam van de bank en stond daar, midden in de keuken, in haar katoenen nachthemd. Door het licht uit het hoge raam werd haar witte haar een waas. De sjaal hing als twee rode gordijntjes van haar knokige schouders.

'Tenminste,' zei ze, 'dat heeft het leven me geleerd.'

Iris leunde achterover en keek haar vertederd aan.

'Grote onzin, lieverd,' zei ze. 'Het spijt me, maar dat is helemaal de verkeerde manier.'

Eventjes zwegen we alle drie, we verroerden ons niet.

'Jij denkt dat je voor niets hebt geleefd,' zei ik.

'Dat is ook zo.'

'Dat ben ik helemaal niet met je eens.'

'Ik ook niet,' zei Iris.

'Waarom houden de mensen anders van je?' vroeg ik.

Nicola stond in het licht, op haar gezicht lag een bijna komisch verbaasde uitdrukking.

'Het komt zeker niet in je op dat ze van je houden vanwege je karakter?' vroeg ik. 'Bijvoorbeeld omdat je zo'n trouwe vriendin bent? En omdat je nooit rancuneus bent?'

Ze deed haar mond al open om dat te bagatelliseren, maar ik gaf haar geen kans.

'Of vanwege je onuitputtelijke gulheid? Of omdat alles wat jij aanraakt mooi wordt?'

'En omdat je zo geestig bent?' zei Iris, die ook de smaak te pakken kreeg.

'En het was toch jouw idee om toneelstukken met elkaar te lezen? Weet je nog dat we *She Stoops to Conquer* en *The Seagull* hebben gedaan?'

'Je doet heel veel voor anderen, maar wilt er nooit iets voor hebben. Je leest de romans die ze geschreven hebben, de ene versie na de andere. Je herschrijft hele toneelstukken!'

'Ja, en je kunt heel goed luisteren. Je onthoudt zelfs de details. De mensen voelen zich ontspannen als ze bij jou zijn. Besef je dat dan niet? En jij zou voor niets hebben geleefd?'

Weer bleef het lang stil.

Iris liep naar het raam en trok de jaloezieën op. Rechthoeken zonlicht vielen over de tafel. Ik zette de achterdeur open. Buiten lag alles er vredig bij. De lucht tegen mijn wangen voelde fris aan. De zon verwarmde de platte vlakken, het oude klinkerpad. Het vliegengordijn tikkelde met zijn kralen tegen de deurpost, even later hing het weer stil.

'Ik wou dat ik nog rookte,' zei Nicola ten slotte. 'Dan ging ik nu op de veranda een sigaretje rollen.'

Ze schoof tussen de kralensnoeren door. Iris liep met haar mee.

Het water kookte, en ik bracht het dienblad naar buiten.

We gingen naast elkaar op de achtertrap thee zitten drinken. Een van ons zei: 'Wat een heerlijke ochtend!' Een ander: 'Zullen we vanavond vis eten?' Nicola leunde met haar schouder tegen de mijne. We keken elkaar aan en keken weer weg – open en bevrijd. Het was of we tot onze kin in rustig water gedompeld waren. Onze armen en benen waren gewichtloos, net als ons hart. Ik keek op de klok. Het was pas halfnegen.

NICOLA MOCHT DAN aangeslagen en uitgeput zijn, ze knapte wonderwel op. Het enige wat ervoor nodig was: een middag lekker dommelen achter de zachtjes tikkende houten zonwering, gevolgd door een halfvol bad, een subtiel vleugje make-up en tussen de bedrijven door een morfinepil. Om acht uur die avond schoof haar pijnlijk protesterende lijf naast me de auto in; ze was voorzien van sjaal en parfum en had er evenveel zin in als een incognito reizende adellijke dame. Hoe lang zou deze wapenstilstand standhouden? Ik wilde er graag vertrouwen in hebben. Vrolijk staken we de rivier over naar Melbourne-Zuid, waar een jonge Duitse goochelaar – ik had toegezegd een recensie te schrijven over zijn voorstelling – zou optreden in een kleine trendy tent, de Butterfly Club.

Vlak voor het begin van de voorstelling gingen we met ons drankje naar het hoge zijzaaltje om ons op de eerste rij te installeren, waar ik twee stoelen had weten te bemachtigen vlak bij het eenvoudige, met groen laken overtrokken goochelaarstafeltje. Het was heerlijk om samen uit te zijn, om de beste plaatsen te hebben, terwijl zo'n tien, vijftien onbekenden achter ons binnendruppelden en fluisterend en met tinkelende glazen in het halfdonker een plaatsje zochten.

De goochelaar in zijn wijde, oude streepjespak kwam

zonder ophef op: hij glipte achterin binnen en liep op zijn soepele schoenen naar het tafeltje – zijn aanwezigheid verspreidde zich als een golf door het zaaltje. Iedereen ging op het puntje van zijn stoel zitten. Hij zette zijn koffer neer en klikte de koperen beugeltjes open. Glimlachend naar het publiek haalde hij er een metalen beker uit, een wit balletje ter grootte van een abrikozenpit en een donker stafje met koperen uiteinden. Dat alles werd op het groene laken uitgestald.

Hij ontweek mijn blik, maar keek Nicola recht aan.

'De mooiste dingen,' zei hij met een licht Duitse, trage tongval tegen haar, 'gebeuren in het verborgene.'

Er gleed een brede, gretige lach over haar gezicht. Ze lag aan zijn voeten. Hij had haar uitverkoren, hij zou haar bij het programma betrekken.

Hij trok zijn manchetten op en nam het witte balletje tussen duim en wijsvinger.

'Je kunt iets op veel manieren laten verdwijnen,' zei hij tegen Nicola. 'Zal ik u de snelle of de langzame manier laten zien?'

Ze glimlachte en knikte verwoed, maar gaf geen antwoord. Zijn mooie donkere ogen twinkelden haar toe en hij tuitte zijn lippen, waarna zijn handen een soepele, rappe manoeuvre uitvoerden. Het witte balletje schoot de manchet van zijn linkermouw in en lag twee tellen later in zijn rechterhand. Op de laken tafel zette hij de beker over het balletje heen, tikte er met het stafje tegen en maakte een zwierige toverbeweging. Toen hij de beker optilde was het witte balletje spoorloos verdwenen. Toen hij de beker nogmaals optilde was het er weer, maar nu was het rood. Hij zette de beker er met een klap overheen.

'Rood of wit?'

'Wit?' zei Nicola.

We bogen ons allemaal naar voren. Hij tilde de beker op. Het rode balletje was vier keer zo groot geworden en in een citroen veranderd.

De aanwezigen gingen schaterend achteroverzitten. Nicola beet op haar onderlip en keek me met grote ogen aan.

Twintig spannende minuten lang bewerkte hij ons, minuten die als seconden voorbijvlogen; hij streelde onze oren met een conference vol vaktermen en aandoenlijke grammaticafouten. Hij liet een spel kaarten een watergladde boog beschrijven. Hij liet muntjes in de lucht van waarde veranderen. Hij vroeg een man of hij een kaart uit het spel wilde pakken, waarna hij de hele stapel kaarten opgooide. Ze ketsten tegen het plafond. We keken allemaal omhoog. Het regende kaarten op hoofden en schouders. Eentje bleef aan het hoge pleisterwerk hangen.

'U kennen die kaart?'

'Dat is hem!' riep de man uit.

Daarna haalde de goochelaar twee donkerrode bolletjes uit zijn koffer, die hij 'genetisch gemanipuleerde Hollandse tomaten' noemde. Weer wendde hij zich tot Nicola.

'Uw hand, *madame*?'

Ze stak haar hand uit. Hij draaide hem met de palm naar boven en legde de twee rode bolletjes erop.

'Madame, wilt u knijpen, graag? Knijpen zo hard u kunnen!'

Nicola kneep. Ze kneep tot haar hand ervan trilde. Toen opende ze haar vuist. Er lagen drie Hollandse tomaten op haar vlakke hand.

Een paar vrouwen achter ons slaakten een kreet. Mannen begonnen te stampen. Nicola reikte de goochelaar de drie rode voorwerpen aan. Hij maakte een buiging en nam ze behoedzaam in ontvangst. Ze glimlachte me even stralend toe. Het werd weer stil in het zaaltje.

Nu haalde de goochelaar een zacht, parelwit koord uit het koffertje. Hij liet het ons zien; het was ongeveer een meter lang en heel slap. Hij ging met zijn rug tegen de achtermuur staan en begon zonder iets te zeggen allerlei onmogelijke dingen met het koord te doen. Het had een eigen leven en een eigen wil: hij was de ondergeschikte, de verzorger. Het brak in twee, in drie, in vier stukken. Het verknoopte en ontknoopte zichzelf nu eens zus, dan weer zo. Het werd langer, het werd korter. Het viel uit elkaar – Nicola slaakte een gesmoorde kreet en greep me bij mijn arm – en daarna stelde het ons gerust door opnieuw een volmaakte O te vormen die los aan de kleine, gespierde handen van de goochelaar hing.

Op een golf van enthousiasme zeilde hij wuivend weg. De deur viel met een klik achter hem dicht. We bleven allemaal nog even zitten. Het was onverdraaglijk dat hij ons alleen had gelaten. In de plotselinge stilte hoorde ik Nicola beverig ademhalen. Haar rug begaf het, en ze zakte voorover.

We zoefden door King Street, op het moment dat de stamkroegen van dronken voetballers en inwisselbare blonde meiden hun deuren openden. In stilte dachten we na over wat we hadden gezien. Pas toen we langs het openluchtbad in Melbourne-Noord kwamen zei ze weer iets.

'Hel, wat geloofde jij ervan?'

'Alles. Er is vast een verklaring voor wat hij allemaal heeft gedaan. Maar ik wil het niet weten.'

'Wat vond je het leukst?'

'O, dat witte koord,' antwoordde ik. 'Dat koord, geen twijfel mogelijk. Dat was niet van deze wereld.'

Ik volgde de groene pijl naar Macaulay Road.

'Hoe voelden die Hollandse tomaten?' wilde ik weten.

'Sponzig. Net schuimrubber.'

'Hoe kreeg hij het in vredesnaam voor elkaar dat die ene kaart tegen het plafond bleef plakken? En hoe hij dat balletje in een citroen veranderde!'

'Ik vond alles prachtig,' zei ze. 'Maar Hel, het allermooiste zat voor mij meteen aan het begin, toen hij me recht aankeek en zei: "Je kunt iets op vele manieren laten verdwijnen."'

Ik zei niets. Zij hield haar ogen neergeslagen. Toen we in het donker over de spoorbaan hotsten en de Moonee Ponds Creek overstaken, hoorde ik dat ze een kreet van pijn smoorde.

Omdat ze op zondag wilde uitslapen had ze pas laat een pil ingenomen, en daardoor kon de pijn toeslaan. Tegen de lunch had hij zijn klauwen in haar linkerarm en -schouder gezet. Ze bestreed hem met morfine, maar het was een lange, angstige middag. Iris ging naar de logeerkamer, bleef ruim een uur bij haar, en kwam in tranen weer tevoorschijn.

'Ze wil niet mee terug. Ze zegt dat het geen zin heeft om er na twee weken de brui aan te geven als de behandeling is gebaseerd op drie weken. Ze zegt dat ze in professor Theodore wil blijven geloven.'

Gab was in de tuin geweest en kwam naar binnen, waarna ze somber en stil hun spullen pakten. In de avondschemering bracht ik hen naar de luchthaven.

'Ik heb het gevoel dat we je in de steek laten,' zei Iris bij de incheckbalie.

'We zullen zien hoe het gaat,' zei ik.

'Hou je het nog vol?'

'Ik denk van wel.'

'Zeker weten?'

'Nee. Maar ik wil het proberen. Nog maar zes nachten. Als ze terug is in Sydney, waar gaat ze dan wonen?'

'Bij mij, denk ik,' zei Iris.

'Daar is de toestand te ernstig voor, Iris. Jij moet immers lesgeven. Dit is niet met een baan te combineren. Ze heeft een eigen plek nodig, maar dan wel in de buurt van mensen die om de beurt kunnen gaan helpen. Het wordt tijd dat je moeder bijspringt.'

Iris trok een pijnlijke grimas. 'Dat pikt Nicola niet,' zei ze. 'Dat zou ze opvatten als bemoeizucht – niet alleen van mijn moeder, maar van iedereen.'

'Nou, en? Ze heeft van nu af aan voortdurend verzorging nodig, of ze dat nu leuk vindt of niet. Kan je moeder niet een leuk zonnig flatje voor haar huren in Elizabeth Bay?'

Iris was wit weggetrokken. 'Ze gaat door het lint. Mamma

zou geen leven meer hebben. En dan zit je weer een hele tijd vast aan een huurcontract.'

'Daar kun je gegarandeerd onderuit als je dood bent,' zei ik bits.

De tranen sprongen Iris in de ogen. Ze veegde ze gauw weg. Gab kwam over de zee van glanzende tegels naar ons toe. Hij gaf me een hand en sloeg even zijn armen om me heen.

'Tot ziens,' zei Iris. 'Tot ziens, Helen. We zijn nu vriendinnen, hè?'

'Er zit niets anders op,' zei ik. 'Ik zal jullie missen. Jullie zijn een grote steun geweest.'

In twee dagen tijd was ik afhankelijk geworden van hun gezelschap, van Gabs goedmoedige rust, van Iris' hoge stem en grappige uitdrukkingen. Toen ze zich vooroverboog om me te kussen ving ik een zweempje op van haar zeep. Het teerachtige luchtje overrompelde me. Ik vond het vreselijk om de twee lange jonge mensen, een met glad en een met krullerig haar, door de veiligheidscontrole te zien verdwijnen.

In de auto voelde ik me eenzaam en angstig. Er ontsnapten me een paar droge snikken. Op de nieuwe industriecomplexen aan weerszijden van de snelweg werden de lichten ontstoken. Ik deed het raampje open en zette de radio aan. Cat Empire, 'Nights Like These'. Ik had een verveeld meisje de band eens laatdunkend horen afdoen als een stelletje jongens van een dure privéschool: wat wisten die nou helemaal van dingen waar een eind aan kwam? Maar dat kletterende slagwerk. Die hoorns, dat stroperige trompetmotief. Ik zette de muziek nog wat harder en schreeuwde de woorden mee.

'I'm alive, I'm alive, I'm alive, I'm alive, I'm aliiiiiiive.'

Nicola was in slaap gevallen, maar toen ik even bij haar naar binnen keek bewoog ze zich. Het beddengoed was klam van het zweet, het kussen hard en bultig. Ik maakte alles weer in orde. Ik bracht haar een glas sap, een schoon nachthemd en nog een pil.

'Morgen gaan we sterkere morfine halen,' zei ik. 'We gaan weer naar dokter Caplan.'

ꝏ

Die maandag was ik jarig. Aan het ontbijt overlaadde Nicola me met grote en kleine cadeaus die ze Iris en Gab dat weekend stiekem in de stad had laten kopen. Haar pièce de résistance was een pracht van een vruchtenpers. Die ochtend ging ze in opperbeste stemming mee op stap, en onderweg naar de praktijk van dokter Caplan babbelde ze aan één stuk door over het verjaardagsetentje dat Mitch en Eva die avond voor me hadden georganiseerd.

In de spreekkamer dook ik op de stoel bij de deur. Nicola schuifelde naar de patiëntenstoel bij het bureau van de dokter.

'Ik geloof dat ik sterkere morfine nodig heb,' begon ze, met een vreselijk dom, onnozel lachje.

Dokter Caplan keek haar ongelovig aan, bijna spottend. In haar ogen blonk een fel intellect. Ik werd bang voor haar. Ik had wel willen schreeuwen: Help me, alstublieft!

'Wie coördineert uw behandeling?' vroeg ze kortaf. 'Wie gaat er over uw pijnbestrijding?'

Ze maakte een draai op haar bureaustoel en verstrengelde

haar magere blote benen onder het werkblad.

'Wat vind jij... Hoe heet je ook weer? Helen?' Ze wierp me over haar grijslinnen schouder een kritische blik toe. 'Hoe komt het allemaal op jou over?'

Ik aarzelde. 'Nicola vindt het niet leuk als ik het zeg,' antwoordde ik, 'maar ze laten het afweten. Ze houden niet goed toezicht. Ze...'

De dokter onderbrak me en draaide zich terug naar Nicola. 'Door wie bent u daarheen verwezen?'

'Door mijn huisarts in Sydney,' zei Nicola. Als een oude vrouw liet ze haar hoofd hangen. 'Hij is gespecialiseerd in kanker.'

De dokter bracht haar gezicht een stukje omlaag, zodat ze Nicola kon aankijken.

'De meeste mensen met een ziekte zoals die van u,' zei ze, duidelijk articulerend alsof ze een lesje opzegde, 'en die voor een bepaalde therapie naar een andere staat gaan, hebben een brief van hun oncoloog bij zich. Gegevens over hun toestand en de behandelingen die ze al hebben ondergaan. Ik weet niet wat uw kanker aanricht. U moet híér een oncoloog raadplegen. En u hebt iemand nodig die de pijnbestrijding goed afstelt.'

Ze trok een blocnote naar zich toe en krabbelde er iets op.

'Ik verwijs u rechtstreeks door naar deze oncoloog,' zei ze. 'Hij heet John Maloney. Ik zal hem opbellen en zeggen dat u komt. U moet een afspraak maken. Vandaag nog. Is dat duidelijk?'

Opnieuw richtte ze haar geringschattende blik op mij. Het zat me niet lekker dat ik deelde in haar minachting. Ik had bijna gejammerd: Ik kan er niets aan doen! U hebt geen idee waar ik tegen moet optornen!

Ze typte een recept voor sterkere morfine en gaf dat aan Nicola. We liepen met onze staart tussen de benen terug naar het Theodore Instituut, en ik ging weer naar het Epworth.

ꝏ

Om vijf uur kwam Nicola stilletjes binnen en ging regelrecht naar haar kamer. Een halfuur later strompelde ze naar de keuken, waar ik met mijn nieuwe vruchtenpers aan het spelen was. Ze had weer last van rillingen, zei ze, en de pijn in haar arm was niet te harden. Op rustige, ontspannen toon vroeg ze of ik haar wilde helpen.

Op haar kamer sloot ik de jaloezieën en zette ik de kachel aan. Ze ging kreunend en rillend op bed liggen. Ik bracht haar een glas water en ze nam een van de nieuwe morfinepillen. Ze draaide zich op haar zij.

'Ik word gek van de pijn in mijn schouder. En het zal wel door de damp zijn gekomen, maar toen ik vanmorgen onder de douche vandaan kwam kon ik haast geen lucht krijgen.'

'Heb je de oncoloog gebeld?'

'Jazeker,' antwoordde ze. 'Woensdagochtend ga ik naar hem toe. Bij het Theodore kennen ze hem van naam. Colette zegt dat hij wel eens wat bars kan doen.'

Terwijl ze wachtte tot de morfine zijn werk deed, ging ik achter haar liggen, met mijn buik dicht tegen haar rug. Koude rillingen trokken door haar bovenlijf en door haar armen.

'Ik denk dat ik maar ophou met die vitamine C,' mompelde ze. 'Het is te zwaar. Ik kan het op het ogenblik niet hebben.'

Hier had ik voor gestreden, maar toch deed het pijn.

'Hel,' zei ze na lange tijd. 'Fijn dat ik bij je mag logeren.'

'Mijn huis is jouw huis.'

'Ik wist dat ik bijna óp was. Ik kon me nog net naar jou toe slepen.'

'Ga nu maar slapen.'

'En het was goed dat je in de keuken zo tegen me tekeer bent gegaan. Dat was moedig.'

'Moedig? Ik snap niet dat je me dat kunt vergeven. Ik heb je als een monster afgeschilderd.'

'Dat wel, maar het heeft gewerkt.'

Ze schudde licht van het lachen.

'Toen ik daarna een dutje deed,' zei ze, 'heb ik heel levendig gedroomd. Er kwam een schat van een pup in voor, net een hondje uit een stripverhaal, met van die schattige hangoortjes.' Haar stem kreeg een zachtere klank. 'Terwijl ik ernaar keek verscheen er een enorme schaar die *knip*, *knip* deed! Allebei zijn oren eraf.'

Ontsteld keek ik naar haar nek.

Ze maakte een vaag geluid, dat het midden hield tussen een lach en een kreun. 'Juist goed, lieverd! Al die kinderachtige onzin, weg ermee!'

Daar lagen we in de halfdonkere kamer, als twee gevelde bomen. Ik voelde haar lijf zich ontspannen, ze gaf zich gewonnen.

'Hel,' fluisterde ze. 'Ik denk niet dat ik het red, dat etentje. Ga jij maar. Drink namens mij maar een lekker glaasje. Gefeliciteerd met je verjaardag, meid, ouwe dibbes.'

Het regende licht. Behoedzaam liep ik tussen de groentebedden door naar de opening in de schutting en naar de buurtuin. Binnen heerste een drukte van belang. Een paar nichtjes met hun drie kinderen kwamen ook eten. De vaders overlegden over het braden van de lamsbout, de moeders zaten met de hoofden dicht bijeen te lachen op de bank, en de peuters – hun haar stond als paardenbloempluis overeind – denderden tussen de meubels door en mepten met opgerolde kranten naar elkaar. Bessie ging helemaal op in een theatrale huilbui, maar niemand wist wat de aanleiding was. Haar neefje Frank, een ernstig jongetje dat ze hartstochtelijk bewonderde, hing op de gang rond, verloren, verveeld en gelaten.

'Kom op, Bessie Boop, nu moet je ophouden met huilen,' zei ik.

Ze hoorde de werktuiglijke toon van mijn vermaning en verdubbelde haar volume.

'Ophouden,' zei ik vergeefs. 'Nu!'

Ik pakte haar vierkant op en ging met haar naar de bijkeuken, waar ik tussen twee diepe snikken door een vraag kon stellen over een plank die haar vader daar onlangs had opgehangen. Meteen was ze afgeleid en begon ze opgewekt te babbelen: ik zou best precies zo'n plank in mijn bijkeuken kunnen laten ophangen. We gingen achter het huis op de veranda zitten, met onze voeten op het trapje, en keken naar de miezerregen.

Frank wurmde zich tussen ons in. Ze keken elkaar lief aan. Het duurde niet lang of ik mocht meedoen aan een spelletje dat ze hadden bedacht: Dingesland.

'Zullen we naar Schoenenland gaan?' opperde Frank.

'In Schoenenland,' legde Bessie me uit, 'moet alles een schoen aanhebben. Het water heeft een schoen aan.'

'De lucht heeft een schoen aan.'

'Een dak heeft een schoen aan.'

'En poep ook,' zei Frank. 'Een heel klein schoentje.'

En zo troostten en vermaakten we elkaar. Het bleef zachtjes maar gestaag regenen. Mitch bracht me een glas sprankelende shiraz. Even later gingen we aan tafel. Alles was goed georganiseerd en feestelijk. Er waren vierenzestig kaarsjes. Toen ik ze allemaal had uitgeblazen was ik er duizelig van.

Elk halfuur holde ik naar huis om even bij Nicola te kijken. De eerste keren sliep ze. Daarna trof ik haar in het donker aan, zittend op de rand van haar bed, met dichte ogen, gebogen rug, handen gevouwen op schoot. Haar eenzaamheid ging me door merg en been.

'Wat kan ik eens voor je halen, meid?'

'Het allerlekkerste,' zei ze half verstaanbaar, 'zou een glas sinaasappelsap zijn.'

Ik perste de laatste twee sinaasappels die we in huis hadden en bracht haar het schuimende sap. Ze dronk het slokje voor slokje op.

'Nog nooit van mijn leven,' fluisterde ze, 'heb ik zulk verrukkelijk vers sinaasappelsap gehad.'

Ik stopte haar weer in, en ze liet zich met een zucht verwennen.

Toen ik om tien uur definitief thuiskwam, bleef ik een hele tijd bij haar deur staan luisteren naar haar trage, snorkende ademhaling. Op een dag zou die ophouden. Zou ik bij haar zijn als ze ging? Ik was haar vriendin, ja, en ik hield van haar, maar ik was een vrij recente vriendin: ik kende haar pas vijftien jaar. Haar dierbaarste, oudste vrienden woonden immers in Sydney. Over een paar dagen, als haar drie weken bij mij erop zaten, zou ze het vliegtuig nemen en terugkeren naar hen en naar haar familie. Zij zouden het overnemen, en ik zou de rol van 'die lieve Hel in Melbourne' weer vervullen – een praktisch mens met een bazig trekje dat goed van pas kwam, die moest werken en in december naar Wenen ging.

OM AAN DE aandacht van Bessie te ontsnappen zou ik op dinsdagochtend met mijn laptop naar de openbare bibliotheek gaan en daar de recensie over de goochelaar inkloppen. Nicola en ik konden dan samen met de trein naar de stad.

Het station was zeven minuten lopen van mijn huis, twintig als je kanker had. Het regende nog steeds een beetje. Ik haalde mijn twee paraplu's voor de dag. Toen ik de voordeur achter ons dichttrok keek ik naar Nicola's voeten. Ze droeg haar trouwe Chinese slippers van dun zwart katoen.

'Hé, suffie,' zei ik. 'Heb je wel gemerkt dat er water uit de hemel valt? Op die dingen kun je niet lopen.'

'Doe niet zo gek, lieverd. Het gaat heus wel goed.'

'Nicola, er staan overal plassen. Dan heb je de hele dag natte voeten en vat je kou.'

'Maar ik heb niets anders bij me.' Ze maakte aanstalten om de donker geworden klinkers op te stappen.

'Doe je gympen aan.'

'Die zijn op,' zei ze. 'Ik wilde nieuwe kopen bij Gowing's, maar die Dunlop Volleys worden niet meer gemaakt. En ik vertik het om op die moderne krengen te lopen.'

Ze was hierheen gekomen zonder fatsoenlijke schoenen. De rug van mijn handen begon weer verraderlijk te jeuken. Het bleef maar regenen, de druppels vielen met zachte plofjes op de aarde. Ik deed mijn ogen dicht en gaf autoritair een bevel.

'Tussen de middag moet je eropuit om gympen te kopen. Ga naar Sam Bear's, of naar Target in Bourke Street. Het oorspronkelijke model, of een retroversie, dat maakt me geen moer uit. Als je maar een fatsoenlijk paar schoenen hebt voor in de regen.'

'Ja, zuster,' zei ze nederig. Toen fleurde ze op. 'Ik weet het! We kunnen met de auto naar het station.'

'Dat kan wel,' zei ik, 'maar daar mag ik maar één uur staan. Ik breng jou naar het station, en dan ga ik terug, zet de auto hier neer en neem de volgende trein.'

'O, maar dat is zo'n mijl op zeven voor jou, lieverd.'

'Niks aan te doen,' zei ik. 'Stap in.'

Voor het station bleef ik in de auto zitten kijken hoe ze op haar ondeugdelijke schoeisel verbeten de hellingbaan op schuifelde. Nu had ik tot het eind van de middag vrij. De openbare bibliotheek leek onbereikbaar ver weg. Had ik de puf om me daar helemaal heen te slepen? Nadat ik de auto had geparkeerd ging ik met mijn laptop naar het café op de hoek. Ik had nog nooit in een café zitten schrijven, en ik was niet plan daar nu mee te beginnen. Mijn hart zat vol gaten. Alle kracht en doelgerichtheid sijpelden uit me weg. Toen mijn koffie kwam kon ik het kopje amper naar mijn lippen brengen. Ik ging terug naar huis. Mijn bureau was bedolven onder schuivende bergen ongelezen en onbeantwoorde post. Ik had geen greep meer op mijn leven. Nadat ik de laptop had neergelegd begon ik vermoeid enige orde in de chaos te scheppen.

Diep in de stapel kwam ik een papiertje tegen met 'Gezondheidsraad' erop gekrabbeld. Er roerde zich een lichte energieprikkel. Ik zocht het nummer op en toetste het in. Een vrouw nam op. Ik zei dat ik een klacht wilde indienen over een alternatieve kliniek die volgens mij onverantwoorde kankertherapieën aanbood.

'Ben u er zelf patiënt?' vroeg ze.

'Nee. Ik ben een vriendin van een patiënt.'

'Helaas, dan kunnen we niets voor u doen,' zei ze vriendelijk maar beslist. 'We registreren alleen klachten van mensen die zelf in behandeling zijn.'

'Ho, wacht even,' zei ik. 'Dat begrijp ik wel, maar ik kan me niet voorstellen dat ik de enige ben die bezwaar maakt tegen die insteek. Misschien kunt u noteren wat ik heb gezien, als bevestiging van andere klachten.'

'Nee, dat zal niet gaan,' zei ze.

'Is er een andere overheidsinstelling die ik kan benaderen?'

'Niet dat ik weet.'

'Tja... Wat moet ik dan doen?'

'Hoe heet die kliniek?' informeerde ze om me enigszins ter wille te zijn.

'Het Theodore Instituut.'

Een geladen stilte. Toen zei ze, op opeens onmiskenbaar levendige toon: 'Blijft u even aan de lijn?'

Ik wachtte. Toen ze terugkwam was ze zeer alert.

'We willen toch graag weten wat u te melden hebt. Ik zal u de naam van een onderzoeker opgeven. Die kunt u bellen voor een afspraak.'

Hij zat op de snelweg toen ik zijn mobiele nummer belde en zette de auto meteen langs de kant. Hij klonk als een politieman. Ik deed hem het verhaal, dat hij zonder me te onderbreken aanhoorde.

Naar het Theodore Instituut, zei hij, liep al enige tijd een onderzoek. Ik zou de klacht zonder medeweten van Nicola kunnen indienen, als ik maar met eigen ogen had gezien wie de behandeling had uitgevoerd.

'Is uw vriendin eventueel bereid met mij te praten?'

'Geen sprake van. Zij denkt dat ze haar het leven redden. Ik doe dit achter haar rug om.'

'Ik zou volgende week naar u toe kunnen komen. Vindt u het goed dat het gesprek wordt opgenomen?'

'Is de paus katholiek?'

Hij schoot in de lach. Hoorde ik verkeersgebulder of het verre hoefgetrappel van de bereden politie?

∽

Toen ik die middag met een auto vol boodschappen van de supermarkt kwam, was Nicola al terug. Haar kletsnatte Chinese slippers balanceerden op de rand van de wasmand, en ze had gympen aan die ze bij Target had gekocht. Ze liet ze met zo veel onverholen afkeer zien dat ik erom moest lachen.

'Is het artikel af?' vroeg ze.

'Nee, ik heb geen woord geschreven.'

'Hè? Dat is niet best,' zei ze schelms. 'Foei-foei. Straks vertel je nog rond dat het de schuld is van die lastige Nicola dat je niet hebt kunnen werken.'

De stemming werd er niet beter op. Zonder haar aan te kijken sjouwde ik de kratjes met levensmiddelen de keuken in en deponeerde ze op de grond.

'Ik heb de dag toch goed besteed.' In mijn stem hoorde ik een armzalige poging haar beschuldiging te ontwijken. 'Ik heb een paar brieven beantwoord en telefoontjes gepleegd. Aan het verhaal ben ik domweg niet toegekomen. Ik doe het donderdag wel.'

Maar ze had al geen belangstelling meer.

'Ik heb nieuws,' zei ze. 'Ze hebben me overgehaald om morgen toch weer aan de vitamine C te gaan.'

Ik richtte me op en keek haar zwijgend aan.

'Een heel lage dosis.' Ze sloeg me gade.

'Wie heeft dat bedacht?'

'Een nieuwe dokter die er vandaag was. Hij zei dat hij nog nooit, maar dan ook nooit heeft meegemaakt dat iemand zo op vitamine C reageert als ik.'

'Je meent het! Hebben anderen wel eens negatieve reacties gehad?'

'Nee... Er heeft nog nooit iemand zo gereageerd als ik.'

'Ja, dat begrijp ik wel, maar heeft er nooit iemand een ander soort negatieve reactie gemeld?'

'Nee. Er heeft zelfs nog nooit iemand gehóórd van zo'n reactie als de mijne.'

Diep ademhalen. Niet op ingaan.

'Maar wacht eens eventjes... Morgen heb je toch een afspraak met die oncoloog?'

Er verschenen rimpels in haar voorhoofd. 'Ja, maar dat is om halftwaalf. Hij kijkt waarschijnlijk alleen maar even naar me. Daarna ga ik meteen terug naar de kliniek. Als jij me wilt brengen.'

'Oké. Dus je bent zaterdag fit genoeg om met het vliegtuig terug te gaan?'

'Jazeker!' zei ze. 'Nog drie dagen therapie en ik ben weer kiplekker.'

Ze glimlachte en haar ogen droomden weg. Het was niet om aan te zien.

ꝏ

Ik voelde er niets voor om met haar mee naar binnen te gaan, maar ze stond erop.

Dokter Malony, de oncoloog, was een tenger gebouwde vijftiger; verzorgd, sympathiek en met de veerkrachtige lichaamstaal die je wel vaker ziet bij moderne medici die van hun vrouw moeten joggen, zwemmen en gezond eten. Vanachter zijn bureau keek hij ons vriendelijk aan. Achter hem een koude, grijze binnenplaats omzoomd met een laag buxushaagje. Terwijl Nicola omstandig vertelde over haar ziekte en de behandelingen tot nu toe, hield hij zijn blik strak op haar gezicht gericht; geen enkele maal verried hij haar door naar mij te kijken. Ik zat naast haar, getergd en geboeid, en keek toe hoe de rivier van haar vertrouwen zich naar hem verlegde. Voelde hij het aankomen? Was hij dit gewend?

'Die rillingen,' merkte hij ten slotte op dromerige toon op, 'zijn zo te horen wat... wij... rigor noemen.'

We keken hem zwijgend aan. Hij keerde met een schokje

tot de werkelijkheid terug en krabbelde iets op een blocnote.

'Ik heb een MRI- en een botscan nodig. U gaat nu regelrecht naar de privékliniek van het Mercy. Ik zal de afspraak voor u maken. Zodra u de uitslag hebt, moet u me bellen.'

In de auto was ook Nicola dromerig.

'Aardige man,' zei ze. Haar gezicht had een zachtere uitdrukking aangenomen, haar trekken waren minder scherp. 'Hij heeft echt aandacht voor me. Intelligente man. Wil jij Colette bellen om te zeggen dat ik vandaag niet meer kom? Vind jij hem ook aardig, Helen? Wat vind jij van hem?'

'Ja, ik mag hem wel.' Was dat het enige waar ze naar hunkerde: het niet-aflatende medeleven van een man?

Die middag in het Mercy zat ik op een plastic stoel in de hal bij de spreekkamers en kon ik mijn kennis over beroemdheden en hun schandaaltjes opfrissen, terwijl gepreoccupeerde laboranten zich over Nicola ontfermden. Ongemerkt verstreek de tijd. Op een gegeven moment ging ik op zoek naar iets te eten en te drinken. Ik deed mijn best niet al te nieuwsgierig te kijken naar de patiënten die voorbij kwamen hinken en strompelen, of in een rolstoel of op een brancard langs werden gereden. Een vrouw – van middelbare leeftijd, slank, knap en zenuwachtig – ijsbeerde bij mij in de buurt door de gang. Ze plofte op de stoel naast de mijne, veerde op, ging weer zitten, bladerde een tijdschrift door, mikte het van zich af en verdween opnieuw de lange met tapijt belegde gang in.

Tegen vijven, vlak voordat Nicola werd geroepen voor de botscan, belde ze dokter Maloney op haar mobieltje om af te spreken wanneer we met de uitslagen naar zijn praktijk zouden komen. Ze wendde zich met een blij lachje naar me toe.

'Hij zegt dat hij naar ons toe komt. Hij komt speciaal voor mij hierheen!'

De scan was nog niet klaar toen Maloney in zijn nette pak de gang in liep. Ik zwaaide en wees met mijn duim naar de deur van de scanruimte. Hij glimlachte vriendelijk en wilde al naast me gaan zitten, toen de zenuwachtige vrouw de hoek om kwam en regelrecht op hem afstevende. Zonder aarzelen ging hij naar haar toe, pakte haar bij de arm en loodste haar naar de stoel. Hij boog zich zo dicht naar haar toe dat zijn voorhoofd het hare bijna raakte. Hij wees naar haar borst en zei helder en verstaanbaar: 'Ja, Debbie... Er zit iets.'

Haar gezicht werd uitdrukkingsloos. Toen barstte ze in snikken uit en sloeg een hand voor haar ogen. 'O nee. Ik kan het niet nog eens aan. Echt niet.'

Hij bleef haar recht aankijken, pakte heel lief haar andere hand en zei met diepdoorvoelde tederheid: 'Ik weet het. Ik weet het.'

Ze sprong overeind en repte zich weg. Hij wendde zich naar mij toe en haalde machteloos zijn schouders op.

'Afschuwelijk, hè? En dat ik het haar hier moet vertellen.'

Hij ging naast me zitten en pakte een blocnote en een potlood uit zijn zak.

'Dit moet u weten. Kijk.' Hij tekende met rechte en gebogen lijnen geroutineerd een deel van een wervelkolom. 'Dit is de C7 van uw vriendin. U weet waar die zit?'

'In de nek?'

Hij knikte. 'Haar C7 is vrijwel helemaal weggevreten en vervangen door tumorweefsel. En dat puilt nu uit naar het ruggenmerg.' Hij bracht krachtige arceringen aan: een ruwe knobbel die bijna een lange donkere streep raakte. 'Als die tumor niet slinkt, of als de restanten van de wervels niet worden verwijderd en vervangen door metaal, raakt ze verlamd.'

Ik staarde hem aan.

'Dat van die verlamming vertel ik haar nu nog niet,' zei hij. 'Maar ze mag dus niet meer aan yoga doen. Ze mag geen zware of lastige dingen tillen of dragen. Begrijpt u dat?'

Hij stopte de blocnote weer in zijn jaszak en keek me met een scheef lachje aan.

'Hoe moet het nu verder met het Theodore?' vroeg ik. 'Stel dat ze er weer heen wil?'

Hij blies luidruchtig zijn adem uit. 'Ik heb die Theodore nooit ontmoet, maar hij bezorgt me een hoop last. Zijn instituut stuurt mensen naar mij door. De behandelingen daar zijn absoluut waardeloos.'

Op dat moment ging de deur open en kwam Nicola de gang in. Als een galante ridder sprong Maloney op. Haar verbaasde glimlach ter begroeting verflauwde. Hij reikte haar de hand en troonde haar mee naar een stoel.

We reden in de spits naar huis, verbijsterd en zwijgend. Toen we Flemington Road insloegen zei ze zachtjes: 'Ik denk niet dat ik nog terugga naar het Theodore.'

'Mooi zo,' liet ik me ontvallen terwijl ik het stuur met een ruk omgooide. 'Het heeft je een akelige hoop energie gekost. En geld. Je moet restitutie vragen.'

Ze wendde zich af. Excuses aanbieden had geen zin. We waren allebei aangeslagen, in shock. Thuis maakte ik een geïmproviseerde maaltijd klaar, waar we met neergeslagen ogen en met lange tanden van aten. Ze trok zich terug in haar kamer met de cortisonen en pijnstillers die Maloney had voorgeschreven, en deed de deur dicht. Het duurde niet lang of ik hoorde haar snurken: het klonk alsof ze stikte.

Ik belde Leo.

'De C7?' Zijn adem stokte even.

'Ze gaat vrijdag naar een chirurg om te horen wat hij ervan vindt.'

'Wie?'

'Een zekere Hathaway.'

'Hathaway! Die ken ik nog van school. O, hij is erg goed. De beste.'

'Volgens Maloney is hij een voortreffelijk chirurg. Maar hij schijnt wel eens een beetje... bot uit de hoek te kunnen komen.'

'Je vindt hem vast aardig, Helen. Hij is de Charlton Heston van de neurochirurgie.' Hij lachte. 'Die kerels moeten wel heel moedig zijn. Het is een beetje veel gevraagd om te verwachten dat ze ook nog charmant zijn.'

Die nacht had ze me nodig. Haar hoofd en nek waren vreselijk bezweet. Haar kussen was kletsnat. Keer op keer verschoonde ik haar bed. Het was zwoegen. Het was: 'Kom, ik zal je matras even keren.' Het was: 'Kom, drink dit maar lekker op' en 'Nee, je móét drinken' en 'Kan ik nog iets voor je halen?' en 'Ga nou maar lekker liggen' en 'Ga maar weer slapen'. Het was zwaar en vermoeiend, maar ik had me nog nooit zo nuttig gevoeld. Ik hoefde alleen het eind van de week nog maar te halen, want Maloney had gezegd dat ze het vliegtuig naar huis kon nemen zodra de cortisonen de pijn eenmaal onderdrukten.

We spraken af dat ik naar het Theodore Instituut zou gaan om te zeggen dat ze niet meer kwam. Ik zou me tot de tanden wapenen.

Toen ik vroeg in de ochtend even ging kijken had ze geen droge kleren meer en lag ze in haar klamme bed te slapen met alleen een oude rozenrode kasjmier trui vol gaten aan.

Na het ontbijt zeulde ik haar matras de zon in en draaide de ene was na de andere. Terwijl ik de lakens aan de lijn hing, kwam ze de tuin in. Ik legde de wasknijpers neer en draaide me naar haar toe. Ik was niet zo lang dat ik haar als een moeder of een echtgenoot kon omhelzen, maar ik stak mijn armen uit. Ze liep naar me toe en legde haar hoofd op mijn schouder: o, wat was ze griezelig mager. We begonnen allebei te huilen. Haar hete tranen liepen mijn bloes in.

'Ik dacht dat ik de berg al had bedwongen,' zei ze met een stem die brak, 'maar ik sta pas aan de voet.'

De hele dag had ze stille huilbuien. Nu eens sloeg ik mijn armen om haar heen, dan weer gingen we gewoon door met

onze bezigheden. Die harde, ondoordringbare opgewekt-
heid was verdwenen. Alles vervloeide en versmolt. Ik hoefde niets meer te zeggen. Ze keek naar me op en sprak het zelf uit toen ik haar een kopje aanreikte.

'Dit eindigt met de dood, hè?'

HATHAWAY, DE NEUROCHIRURG, hield praktijk in een oud, uit rode baksteen opgetrokken pand achter het Epworth-ziekenhuis. Een forse man met gespierde schouders en dik haar; zijn tengere handen speelden op het houten bureau met de dikste, zwartste, glimmendste Mont Blanc-pen die ik ooit had gezien: superlang, tonrond en met een enorme gouden punt.

Hij wond er geen doekjes om.

'Ik heb uw scans goed bekeken,' zei hij tegen Nicola. 'Als u valt of struikelt, als u uw nek abrupt beweegt, stoot of verdraait, dan kan de tumor die op de plaats zit van uw C7 het begeven. En in dat geval verspreiden zich kwaadaardige cellen en restanten vergane wervel door uw lichaam.'

Ik zat op mijn stoel bij de deur met trillend potlood als een gek aantekeningen te maken. Nicola snakte naar adem, slikte. Verder reageerde ze niet, maar ze zat zo recht als ze kon en keek hem strak aan.

'Als dat gebeurt,' vervolgde hij, 'raakt u meteen verlamd. Het zou uw einde betekenen.'

Hij zei dat hij de enige neurochirurg in Australië was die de door kanker weggevreten C7 kon vervangen door een prothese van titanium, en dus niet door een van kunststof of door een bottransplantaat. Hij noemde, en ik noteerde, de dagen waarop hij opereerde. Hij vertelde verder dat ze na de operatie drie maanden een neksteun zou moeten dragen. Daarna schoof hij zijn stoel naar achteren, observeerde haar vanonder zijn wenkbrauwen en liet intussen de imposante vulpen behendig tussen duim en wijsvinger rollen.

Het zachtmoedige, bijna tedere van Maloney was zijn stijl niet, maar desondanks mocht ik hem wel, en ik bewonderde zijn genadeloze openhartigheid. Maar terwijl ik mijn blocnote opborg, dacht ik: hij was toch zeker niet de enige die deze operatie kon uitvoeren? Dat kon niet waar zijn. Nee, Maloney zou in Sydney wel een tegenhanger van hem opsporen en dan kon Nicola morgenochtend volgens plan het vliegtuig naar huis nemen.

Nicola slaakte een lichte zucht en stond behoedzaam op. Ze gaf hem een hand. 'We gaan nu terug naar dokter Maloney. Samen met hem stellen we een plan op. Dan bel ik u vanmiddag.'

Ook hij stond op. 'Ik raad u dringend aan,' zei hij, 'niet te lang te wachten.' In reactie op haar ouderwetse wellevendheid liet hij ons bijna buigend uit.

ෆ

Voor de praktijk van Maloney stapte Nicola uit de auto, en ik ging een parkeerplaats zoeken. Hoewel ik vrijwel meteen een plekje vond, bleef ik nog een minuut of tien in de auto zitten, vijlde mijn nagels en koesterde bange voorgevoelens. Via mijn mobieltje belde ik een vooraanstaand medisch journaliste, een kennis van me, in Sydney.

'Natuurlijk kan ze zich hier in Sydney laten opereren,' zei ze verbaasd. 'Gisteren nog heeft een vriendin van me in het St. Vincent carcinomateuze wervels laten vervangen – iets lager, drie stuks. Van haar man hoorde ik dat ze zeer tevreden waren over het resultaat. Jij hoeft dit toch niet alleen op te vangen? Waar woont haar familie?'

Haar strijdbare ongeduld had me moeten sterken, maar ik kreeg eerder de neiging Nicola te verdedigen, te verontschuldigen. Wie zou er nu níét tevreden zijn over het resultaat? Een andere afloop was immers veel te afschrikwekkend?

In de wachtkamer bij Maloney bleek Nicola naast een vrouw van middelbare leeftijd te zitten, die zich in aparte, kleurige kleren had gehuld. Ze hadden iets samenzweerderigs zoals ze indringend zaten te fluisteren met hun hoofden dicht naar elkaar toe gebogen. Toen ik binnenkwam werd de andere vrouw net bij de dokter geroepen. Ik ging op haar stoel zitten. Nicola begroette me met een opgewonden lachje.

'Dat was Melanie,' zei ze. 'Die komt ook van het Theodore.' Ze fluisterde nadrukkelijk. 'Ze vertelde over een behandeling met alcohol die ze rechtstreeks in de tumor spuiten. Artsen mogen dat volgens haar in Afrika wel doen, maar hier niet. En ze zei ook dat ze op internet iets had gelezen over een speciale camera. In Rusland! Die is hier misschien binnenkort ook wel te krijgen.'

'Een camera.'

'Ja... Die pikt de cellen eruit die met spirulina zijn bestraald, zegt ze. Het enige probleem is dat je niet kunt zien of de cellen die oplichten carcinomateus of precarcinomateus zijn.'

Ik zette mijn tas op de grond.

'Ik moet trouwens toch nog even naar het Theodore,' ratelde ze door terwijl ze ongemakkelijk ging verzitten op de harde stoel. 'Ik heb mijn derde week nog niet betaald.'

Ik sloeg mijn armen over elkaar en deed mijn ogen dicht. Mag ik nu alsjeblieft bewusteloos neervallen? Ik wil dit allemaal niet horen. Dokter Maloney, breng me alstublieft naar een ziekenhuis. Stop me in bed en leg een katoenen deken over me heen. Laat me daar stilletjes alleen liggen tot dit voorbij is.

ꝏ

'Dat klopt,' zei Maloney vanachter een bureau half zo groot als dat van Hathaway. 'Hij heeft die titaniumprothese bij wijze van spreken uitgevonden. Als je dat wilt, Nicola, moet je bij hem zijn.'

'Ja, dokter John,' zei ze gloedvol. 'Dat wil ik. Dat wil ik echt.'

'In dat geval,' zei de dokter, 'word je in Melbourne geopereerd, in het Epworth. Waarschijnlijk over een dag of tien.'

Maloney zag kennelijk dat mijn gezicht betrok. Een paar tellen bleef hij roerloos zitten. Toen zei hij: 'Het lijkt me het beste dat jullie nu naar huis gaan en eens pijnlijk eerlijk met elkaar praten.'

ꝏ

Ik durfde amper te rijden. In doffe paniek zat ik achter het stuur, verbijsterd. Ik liet de versnellingsbak keer op keer knarsen en wist niet goed hoe ik thuis moest komen. We reden met een sukkelgangetje in noordelijke richting over Nicholson Street. Ik voelde dat ze me van opzij opnam.

'Nicola,' zei ik, 'je kunt je niet in Melbourne laten opereren. Je moet teruggaan naar Sydney en het daar laten doen.'

'Nee nee nee nee lieverd,' zei ze. 'Ik wil het hier laten doen. Hathaway is de beste in het hele land. Zegt dokter John.'

Ik verhief mijn stem. 'Nicola, dit is gekkenwerk.'

'Ik heb alle vertrouwen in dokter John,' zei ze. 'Als ik het hier laat doen, komt dokter John me opzoeken.'

'Maar we hebben geen ondersteuning. Hier is niemand die mij kan helpen.'

Toen we over de spoorbaan bonkten wierp ik haar een zijdelingse blik toe. Ze keek strak voor zich uit, grijnzend als een gek.

'Dokter John is anders dan de andere dokters,' zei ze zangerig. 'Hij vindt me echt aardig, dat voel ik. Hij geeft om me. Híj moet voor me zorgen.'

Ze wílde me niet begrijpen. Ik zou haar het mes op de keel moeten zetten.

'Luister nou eens goed naar me, verdomme!' zei ik op schrille toon. 'Ik – breng – het – niet – op.'

Ze bleef heel stil zitten.

'Ik heb me drie weken rotgerend,' zei ik. 'Ik dacht dat ik het tot morgen net zou redden. Maar nu ga je er opeens van uit dat ik de volgende etappe ook nog meeloop, en de daaropvolgende. Ik probeer je duidelijk te maken dat ik óp ben. Ik kan niet meer.'

Ze staarde recht voor zich uit. Ik voelde aankomen dat ik zou moeten stoppen om in de goot over te geven.

Opeens haalde ze bevend adem en begon me op haar meest voorname toon de hemel in te prijzen. 'En je bent echt een fantastische estafetteloper geweest! Je hebt een prachtige wedstrijd gelopen, lieverd. Natuurlijk mag je het stokje nu doorgeven. Ik weet al wat ik ga doen! Ik huur een serviceflat. Of ik trek in een motel.'

Mijn handen om het stuur werden klam. 'Dat gebeurt niet, dat kan niet,' zei ik. 'Jij kunt niet naar een serviceflat of een motel.'

'Natuurlijk wel. In de buurt van het ziekenhuis is vast wel iets leuks te vinden. Ik kan best voor mezelf zorgen. Ik hoef immers alleen maar een neksteun te dragen.'

'Luister goed, Nicola. Het gaat niet alleen om die neksteun. Je hebt een team hulpverleners nodig, mensen die dag en nacht voor je klaarstaan, die je bed verschonen en je lakens wassen, die eten kopen en klaarmaken. Je familie en vrienden vinden het nooit goed dat je in een motel trekt. Dat zal niet gebeuren. Je moet naar huis, naar Sydney.'

'Ik neem morgen het vliegtuig naar huis. Jij gaat wel met me mee, hè? Ik kan niet alleen vliegen. Ik regel alles met Iris en haal een paar spullen op die ik nodig heb. Dan kom ik volgende week terug. Ik heb hier in Melbourne tientallen lieve oude schoolvrienden wonen. Die zullen me met liefde in huis nemen!'

Er sloeg een golf misselijkmakende woede door me heen.

Ik had zin om de auto tegen een lantaarnpaal te pletter te rijden, maar dan zo dat alleen zij doodging – ik zou de sleutel in het contact laten zitten, mijn rugzak pakken en het vege lijf redden.

Zodra we de voordeur openduwden zinderde het in huis van de akelige emoties. Boosheid en angst, tot dan toe streng onderdrukt, zongen rond. De koelkast was leeg. Ik fietste naar de buurtsuper en kocht iets te eten voor de lunch. Terwijl ik bezig was met fijnsnijden en brood roosteren maakte ik een verkeerde draaibeweging en verrekte een spier onder in mijn rug. Nog terwijl me een kreetje van pijn ontsnapte kreeg ik al een kleur van schaamte. Wat een meelijwekkende rivaliteit: een verrekte rugspier tegenover een tumor die op doorbreken stond en rommel en gif zou uitstorten in Nicola's lijf. Maar ze hoorde me niet. Ze lag op de bank koortsachtig en opgewonden te ratelen.

'Verity bijvoorbeeld,' riep ze uit. 'En Tory en Flick, maar die zou naar Parijs verhuizen. Verity is getrouwd met zo'n advocaat die het helemaal heeft gemaakt, geen idee hoe hij ook weer heet. Ze hadden vroeger een schat van een klein huisje tegenover hun grote huis. Voor de au pair. Daar zou ik in kunnen trekken!'

'Wanneer heb je voor het laatst contact met ze gehad?'

'O, een paar jaar geleden of zo.'

'Nicola,' zei ik, 'zou je niet eens moeten informeren bij Verity? Of dat haalbaar is?'

Ze keek me met omfloerste ogen maar stralend aan. 'Welnee, lieverd. Ik weet gewoon dat ik het maar hoef te vragen of ik kan er terecht. Ze is dol op me.'

'Maar ze moet vierentwintig uur per dag beschikbaar zijn. Misschien heeft ze wel familieverplichtingen, of een baan?'

Even verstrakte ze, toen klakte ze met haar tong en wuifde mijn bezwaren weg. Ze pakte een potlood. 'Nou ja, als het haar niet schikt, dan... dan reserveer ik voor iedereen een kamer in een hotel. Het Windsor. Ik neem een suite in het Windsor.'

'Iedereen? Wie is iedereen?'

Ze begon de namen van vrienden in Sydney neer te krabbelen, van familieleden die buiten woonden maar die – zeker weten – meteen naar Melbourne zouden snellen om bij toerbeurt voor haar te zorgen. Haar zus Pip kwam prompt. Iris legde alles neer en kwam naar haar toe. Clare liet haar kinderen in Byron en stapte in het eerstvolgende vliegtuig naar het zuiden. Harriet racete uit Yass hierheen. Alle hens aan dek! Nicola zou ze allemaal naar Melbourne laten komen, Nicola zou de tickets regelen, Nicola zou alles betalen!

Duizelig van paniek stond ik bij de broodrooster. 'Maar dat kost je...'

'Voor iemand die zich voor mij inzet,' verklaarde ze met een vorstelijk gebaar van de hand waarin ze het potlood hield, 'is alleen het allerbeste goed genoeg. Eens kijken. Ik lig drie dagen in het ziekenhuis, dus dat wil zeggen...'

'Drie dagen? Zei Maloney niet een week tot tien dagen?'

'Onzin, Hel. Ik sta zó weer buiten! Oké, op welke dagen opereert Hathaway ook alweer? Dinsdag en vrijdag?'

Dat was tenminste te verifiëren. Ik pakte de blocnote uit mijn tas en las op autoritaire toon voor wat ik in de behandelkamer had genoteerd: 'Hij opereert op maandag en vrijdag.'

Ze fronste haar wenkbrauwen en schudde haar hoofd. 'Nee. Het was niet maandag. Het was dinsdag.'

Ze pakte de telefoon en belde zijn receptioniste. Terwijl ze luisterde verschenen er blosjes op haar wangen. Nieuwe kracht doorstroomde haar. Ze mikte de telefoon op het kleed. 'Zie je wel? Het is dínsdag.' Ze hees zich overeind in de kussens en wierp me een felle, triomfantelijke blik toe. 'O ja, toen jij boodschappen aan het doen was klopte Bessie op de achterdeur. Ik heb gedaan of er niemand thuis was.'

Ik deed het elastiekje weer om mijn blocnote, strompelde naar mijn kamer en ging op bed liggen. Vandaar kon ik haar horen telefoneren, kwebbelen, proestlachen, hulptroepen organiseren, versterkingen optrommelen. Even later riep ze me vanuit de gang: ze ging met de trein naar de stad om de rekening van het Theodore Instituut te betalen. De deur viel zo hard dicht dat het huis op zijn grondvesten schudde.

Ondanks alles dommelde ik in. Even na vier uur werd er zachtjes op mijn raam geklopt: Bessies ogen blonken tussen de lamellen door. Ik stond op om de voordeur open te doen. Vanaf de mat keek ze naar me op, met de donkere rand van haar zonnehoedje achteloos naar achteren geklapt. Ze dook meteen op mijn bed, en we gingen naast elkaar liggen. Ze had nagedacht, en ik moest luisteren naar wat dat had opgeleverd.

'Als iemand doodgaat,' zei ze, 'vliegt er een klein stukje uit hem weg.'

'Ja,' zei ik. 'Dat heb ik ook wel eens gehoord. Wat een mooie gedachte.'

'En wat er wegvliegt heet "de ziel".'

Ze pakte mijn pols en bewoog de huid zachtjes op en neer. Ik voelde hoe droog en losjes mijn vel om me heen zat, hoe broos het gewricht was.

'Iedereen gaat een keer dood,' zei ze. 'Ik ook. En Hughie ook. En oma, als wij doodgingen, zou jij ook doodgaan! Want dan zou je héél verdrietig zijn!'

TERWIJL BESSIE EN ik op mijn bed lagen te filosoferen over het lot en het heelal, wist ik nog niet dat Nicola's uitzinnige droom – mantelzorgers naar Melbourne overvliegen en in het Windsor Hotel installeren – zou uitkomen, en dat ze tien dagen later naar Sydney zou terugkeren, met de titaniumprothese van Hathaway loepzuiver in haar wervelkolom geïmplanteerd.

Ook wist ik nog niet hoe vaak ik naar Sydney zou vliegen om mijn bescheiden rol te spelen in de laatste fase van haar verzorging, en evenmin hoe vaak er bij Iris thuis zou worden opengedaan door Harriet uit Yass, kribbig van vermoeidheid en met haar ronde, verweerde gezicht nat van het zweet, of door Marion de boeddhiste, bleek, beheerst en stoïcijns na vijf dagen onafgebroken dienst. Ik had me er nog niet op kunnen voorbereiden dat ik op de grond zou slapen naast Clare uit Byron, wanneer een radeloze Iris haar rugzak pakte en te voet langs de kust van New South Wales naar het noorden vluchtte.

Ik kon me nog niet voorstellen dat ik naar drank zou snakken elke keer dat ik de hoge, lichte kamers van het appartement in kwam en Nicola zag tronen op de bank, waar ze, steunend tegen de harde gecapitonneerde zijkant, waakte en sliep, lachte en hoestte, verordonneerde dat er een aftreksel van Chinese kruiden moest worden gemaakt, plannen smeedde voor zilvervliesrijstvasten en een drastisch alkalisch dieet, en waar ze haar gezicht elke ochtend naar de zon keerde die door de gordijnloze ramen scheen. Noch kon ik voorzien dat ze op een dag, met haar gezwollen benen op een stapel kussens, vrolijk zou verkondigen: 'Nu weet ik opeens waardoor ik me zo beroerd voel... Ik heb vast bloedarmoede.' Of dat mijn leventje thuis tussen de bezoeken aan Sydney in zo saai zou lijken dat ik op een briefkaart aan haar zou schrijven: 'Ik mis je. Ik verveel me. Ik boen liever poep van de badkamervloer bij Iris.' Want ook dat zou van me verwacht worden: net als de andere mantelzorgers, van wie ik door de intimiteit van ons werk zou gaan houden, moest ik haar naar de wc helpen, waar ik leerde haar billen net zo behoedzaam te wassen als ik bij mijn zus en mijn moeder had gedaan, en zoals eens iemand de mijne zal moeten wassen.

Ik had natuurlijk kunnen weten dat ze zich tegen een hospice zou verzetten tot de inhoud van haar longen via haar neus en keel naar buiten kwam, tot iedereen in haar omgeving gek was van vermoeidheid, van woede en wanhoop. Ze zwichtte pas toen Marion tegen haar zei: 'Je hoeft geen spijt te hebben van de dingen die je niet gedaan hebt. Dat is het verleden. Laat het los. Wees blij: jij bent nu onze leermeesteres.'

Hoe goed voorbereid ik ook was geweest, toch schrok ik nog toen ik werd opgetrommeld. Het gebeurde tijdens de Writers' Week in Adelaide. In het vliegtuig naar Sydney leek alles waarnaar ik keek – het haar van onbekenden, de stof van hun kleding – even waardevol te zijn. Toen ik haar kamer in het hospice binnensloop, helemaal ingesteld op ernst, nam ze mijn hand in de hare, die traag en dik was, en vroeg met schorre stem onder het zuurstofmasker: 'Heb je het feest laten schieten? Nog roddels?' Ik vertelde dat de beroemdheden zich hadden verdrongen om te kunnen zien hoe de Nobelprijswinnaar in een tent Australisch staatsburger werd, en er flakkerde een vrolijk lachje in haar op. Zwakjes gaf ze een kneepje in mijn vingers en mompelde het laatste wat ze ooit tegen me zou zeggen: 'Nog niet weggaan, hoor.'

Ik kon niet voorzien dat twee boeddhistes haar al zingend het leven uit zouden leiden; dat ik samen met Clare en Iris huiverend in een hoekje van de halfdonkere kamer zou zitten luisteren naar het fascinerende, diepe gegons van hun stemmen, die alle barmhartigen opriepen om naar Nicola toe te komen, omdat zij, net als wij allen in dit leven, diep in het moeras van ondraaglijk lijden was weggezakt; omdat voor haar het licht van dit leven was gedoofd, omdat zij de duisternis ging betreden, een ongebaand woud; zonder vrienden, zonder toevluchtsoord, op de rand van een afgrond – een afschuwelijke, galmende kloof waar ze in zou storten en zou worden weggevaagd door de machtige wind van het karma, de orkaan van het karma. Toen ik even opkeek van deze verzengende wake zag ik haar zus en profil tegen een zwart gordijn, kalm en streng, even groots in haar vergane schoonheid als het gezicht dat naar adem snakkend op het kussen lag.

Evenmin kon ik voorzien dat ik op de herdenkingsbijeenkomst – enkele dagen nadat haar as was verstrooid in het bijzijn van degenen die haar nader hadden gestaan dan ik

– zou worden aangesproken door een chic geklede vrouw; met het programma in de hand vroeg ze met een ietwat nasale, koele stem: 'Ik ben Verity. Ik heb samen met Nicola op school gezeten. Ik zie dat u dadelijk iets gaat zeggen, en ik ben benieuwd in welke relatie u eigenlijk tot haar stond.'

Ik had geen idee dat Nicola me, voordat ze uit mijn huis vertrok, een afscheidsbrief zou schrijven zo vol zelfverwijt, gevoeligheid en rustige dankbaarheid dat ik, toen ik hem maanden later vond op het plekje waar ze hem slim had verstopt, overvallen werd door verscheurende snikken die zich een uitweg zochten zoals in haar verbeelding de gifstoffen uit haar zouden wegstromen. Ik wist evenmin dat de onderzoeker van het Mercy langs zou komen, dat ik mijn verhaal over het Theodore Instituut zou uitstorten in zijn bandrecorder – om nooit meer iets van hem te vernemen. Ook kon ik nog niet weten dat ik op een avond in de nazomer van het jaar daarop dokter Tuckey zou tegenkomen, die in de zoet geurende schemering met een koffertje op wieltjes over Flinders Lane liep, dat hij eventjes onelegant maar vergeefs zou proberen zijn broek op te hijsen, en dat ik medelijden met hem kreeg omdat al zijn patiënten gedoemd waren te sterven.

Die middag dat ik uitgeteld op bed lag naast het kind met haar warrige luizenvlechtjes en haar nieuwe levensfilosofie, wist ik maar één ding zeker: als het me niet lukte om Nicola de volgende dag het huis uit te werken zou ik afglijden in een allesvernietigende woede die mijn huid zou afstropen, zodat er niets van me overbleef dan wat verstrooide bleke botten in een zandlandschap.

Die avond, haar laatste in mijn huis, kon ik niet slapen van het ronkende gesnurk dat door de dichte deuren van haar kamer en de mijne zaagde. Ik lag met gebalde vuisten onder de quilt, de wanhoop gierde door me heen. Kwam het door de valium die Maloney haar had voorgeschreven? De steroïden? Was het de dood zelf die zich met haar vermaakte, die speelde met haar geplaagde luchtwegen en vliezen? Ik was ziek van schaamte, woedend op mezelf omdat ik woedend was, woedend op de dood omdat hij bestond, omdat hij zo tergend langzaam kwam.

De volgende ochtend heerste er evenwel een vermoeide vrede. Ze had geen pijn, zei ze. We pakten haar spulletjes in de weekendtas. Ik hing hem aan mijn schouder en pakte mijn eigen tas. We gingen met een taxi naar de luchthaven, checkten in en dronken een kop koffie naast een glazen wand. Aan de hemel streek een zachte wind door de hoge, vederachtige voorjaarswolken.

Het was een korte vlucht. We zeiden amper een woord, keken naar het licht dat over de zilveren vleugel trilde en flikkerde. Zo nu en dan wendde ze zich glimlachend naar me toe. Iris stond ons op te wachten. Toen ik haar weerbarstige haar en levendige gezicht in de menigte zag zweven was ik het liefst naar haar toe gekropen. Ze begroette ons. Ik reikte haar Nicola's tas aan en deed een stap terug – want hoewel er de volgende dag, toen ik bij Iris wegging, hartelijk afscheid werd genomen, hoewel Nicola daarbij mijn handen vasthield, me op de wangen kuste en me in de ogen keek, en hoewel we op dit moment zusterlijk schouder aan schouder gedrieën door de hal naar de auto liepen, had ik mijn plaats naast Nicola al afgestaan.

Mijn wacht zat erop, en ik had haar overgedragen.